「強い人材」を育てるための成功する研修設計入門

「営業」「講師」2つの視点で伝えるパートナー選びの成功法則

秋葉佳宏 笹木耕介
株式会社HRトリガー COO

standards

はじめに

みなさんはじめまして。

私たちは今、ＨＲトリガーという会社で、企業の人材開発に貢献することを一番の目的に広く活動を行っています。営業担当として、企業のお客様のさまざまな「人」の悩みに触れ、また、研修講師として実際の課題解決にも取り組んでいます。

このような働き方をしている人は、この業界でもかなり少ないと思います。ワンストップでやっている方でも、営業に軸足を置いている。また、基本は講師である。どちらかのパターンである場合がほとんどです。

企業で人材開発を担当される方には多くの期待が寄せられ、プレッシャーも相当程度に大きいものと理解しています。営業／講師というハイブリッドな動きをしているからこそ、あなたの課題解決にしっかりと寄り添うことができる。そんな熱い想いから、本書の執筆を決意しました。入門書とはいいながらも応用レベルの内容も多く含まれています。１度目はざっと全体感をつかむために読んでいただき、2度目は自社の今の課題にあてはめながら、じっくり読んでいただくことをお勧めします。

この本では、はじめて人材開発を担当することになったあなたに、私たちが人材開発に対して抱えている想いを届けたいと願っています。


はじめて、人材育成の課題を分析するようにいわれた。

はじめて、研修を設計するようにと指示を受けた。

はじめて、これからの人材開発のプランをつくるようにいわれた。


すでに感じていることとは思いますが、人材開発という分野にマニュアルはありません。ひとまず研修を実施すれば、それだけで何かが前に進むわけでもありません。

あなたが抱えた悩みを解決する方法は、簡単に見つかるものではないのです。

私たちは研修を提供することも仕事にしていますが、研修だけでは解決できない課題があることも十分に理解しています。それらの課題に対しては、研修以外のソリューションを一緒に考えることにしています。

私たちの存在意義は、研修を売ってお金をもらうことではなく、あなたの会社の成長に、人材開発という側面からしっかりと貢献することに他なりません。

企業にとって人材開発がどうして重要なのか、改めて確認することにします。

どれだけデジタル化が進んでも、どれだけリモートワークが当たり前になっても、また、どれだけＡＩ全盛の時代になっても、仕事とは人が行うものであり、企業もまた人によって成り立っている。これは決して変わることのない真実です。

どんなによい製品も、どんなによい広告も、つくるのはどこまでいっても人です。

だからこそ、企業としての成長には人の成長が不可欠であり、そのための人材開発という取り組みが何よりも重要になってくるのです。

個としての成長が企業としての成長へとつながるためには、組織の観点が必要です。組織としての力が高まらなければ、個人としてどんなに成長したとしても、企業としての成長にはつながりません。組織力とは個と個の結びつきの力です。結びつきを高めることも人材開発の重要な役割になってきます。

人材開発を担当することになったあなたは、こうした重い役割を担うことになります。その役割をしっかりと果たしていくには、個としての人材の課題をしっかりと見きわめ、弱点を克服し、強みを伸ばしていく方法を考えていくことが必要です。

ひとつの例としては、論理的に考える力が弱いのか、コミュニケーション力が低いのか、あるいは、プレゼンテーションスキルやビジネス文書作成の力が足りないのか。もちろん、個人によって課題は異なります。すべてのニーズを個別に満たすことはできません。

それでも、ある種の傾向を読み取り、最大公約数的に解決していくことは可能です。

その方法を見つけることが、人材開発担当者に期待される具体的な役割なのです。個人の課題解決と並行して、組織力を高めるための仕掛けにも取り組んでいきます。組織のなかのコミュニケーションが円滑ではない。組織目標の共有が十分ではない。あるいは、管理者が部下のモチベーションを低下させている。

そのような状況が見られる場合には、それぞれに適した策を講じることになります。

価値観が多様化する現代。社員が仕事に抱く想いもさまざまです。

以前のように上司が旗を振ればみんながその方向に進むという時代ではなくなりました。個としての成長と向き合う場合には、それぞれが有する価値観のちがいにも配慮しながら、解決策を考えていく必要があります。

これは組織力を高める観点にとって、特に重要となってくるポイントです。

個人の価値観だけにかぎらず、少子高齢化社会の進展によって、たとえば、親の介護など、働き方に影響を及ぼす要素が増えてきています。このような観点も十分に織り込みながら、人の成長ということを考えていかなければなりません。

年上部下とのコミュニケーションなどは、まさにこの点にも合致しています。

こんな風に書くと、本当に自分にできるのかと不安を覚えたかもしれません。

それでも、心配することはまったくありません。

人材開発にマニュアルはありませんが、これまでに積み重ねてきた実践的なノウハウがあなたをしっかりとサポートしてくれます。

私たちは営業の立場で、５０００社の人材開発担当者の悩みと向き合ってきました。そしてそのうち多くのお客様に、研修を中心としたソリューションを提供してきました。お客様と私たちの「共同作業」によって、共に課題解決に取り組んでまいりました。

この「共同作業」という観点は本当に大切だと考えています。

自動販売機のようにボタンを押せば適当な研修が出てくるというのではなく、私たちはお客様以上にお客様の課題について考え、最適な研修を提供し続けてきました。

だから私たちは、あなたと「共同作業」で取り組んでまいります。

ひとつの研修をどのように組み立てるべきかという各論については、残念ながら本書で踏み込むことはできません。

ですが、人材育成の課題を分析し、成果につながる研修を設計するための方法については、本書を通じてしっかりと理解することができます。人材開発のポイントや流れについても、実践的な知識として身につけていただくことができます。

そうして人材開発のプロになったときには、研修会社に依頼しなくても、成果につながる研修を実施できるようになっているかもしれません。

人材開発担当者になったあなたの課題解決に貢献すること。

それだけを考えながら本書を進めてまいります。どうぞ最後までお付き合いください。

株式会社HRトリガー　秋葉佳宏
笹木耕介

「強い人材」を育てるための　研修設計入門　──　もくじ

はじめに ── 002

第1章

人材開発担当者になったら解決すべき4つの疑問

01　そもそも「人材開発」って何だろう？ ── 014
02　人材開発に「研修」は本当に必要なの？ ── 022
03　研修を「設計」するってどういうこと？ ── 028
04　設計は「研修会社」に依頼すればいいの？ ── 034
コラム❶　先入観を持たずに確認することの大切さ ── 042

第2章

企業の人材開発をとりまく状況

01 人を大切にしない会社は成長しない —— 046
02 社員個人の価値観が多様化している —— 050
03 学びの手段が多様化している —— 054
04 研修を外注する際の判断基準が不明確である —— 058
コラム❷ 「安い」はまったく理由にならない —— 062

第3章

STEP① 成長のゴールをしっかりと定める

01 どのような人材に成長してほしいのかを明確化する —— 066
02 ゴールが不明確なまま丸投げしたことで失敗した研修の例 —— 073

03 「足りないこと」／「やるべきこと」の2つの公式 ―― 080
04 ゴールを設定できるのは人材開発担当者だけである ―― 086
コラム❸ ときには自分から情報を取りに行く ―― 092

第4章 STEP② 育成方法をしっかりと検討する

01 人材が成長する方法は研修だけではない ―― 096
02 e-learningでもできたことを研修化して失敗した例 ―― 103
03 階層や課題によってゴールは異なる ―― 110
04 個々のゴールから逆算することで最適の育成方法が見つかる ―― 116
コラム❹ やはり、コストだけでは決められない ―― 124

第5章 STEP③ 研修の実施方法をしっかりと見極める

01 リアル／オンライン、内製／外注、それぞれにメリデメがある ―― 128
02 オンラインで無理を重ねたことで失敗した研修の例 ―― 134
03 最適の実施方法は「やるべきこと」によって異なる ―― 140
04 受講者の目線に立つことで最適の実施方法が見つかる ―― 147
コラム❺ 公開型の研修では他社との交流がポイント ―― 154

第6章 STEP④ 研修会社とのパートナーシップを構築する

01 対等なコミュニケーションが研修を成功に導くカギ ―― 158
02 営業と講師のコミュニケーション不足で失敗した研修の例 ―― 164

03 会社の規模やコストは安心の判断基準にならない —— 171
04 会社の目線に立ってくれる研修会社が真のパートナー —— 178
コラム❻ 講師は決して「偉い人」ではない —— 184

第7章

最適なパートナー選びのための4つの判断基準

01 ゴールや実施方法についてとことんまで議論してくれる —— 188
02 自分たち以上に自分たちのことを考えてくれる —— 192
03 研修以外の学びの方法についてもアドバイスしてくれる —— 197
04 人材育成の理念に心から共感してくれる —— 202
コラム❼ さまざまな想いを俯瞰して捉える —— 206

おわりに —— 210

第 1 章

人材開発担当者になったら解決すべき4つの疑問

本章でお伝えしたいこと

① 「人材開発」とは「人材育成」のために現在の課題を解決する取り組みである。
② 「研修」は人材開発にとって、重要な「選択肢のひとつ」である。
③ 現在の課題に応じて、自社にとって最適な研修を「設計」する必要がある。
④ 実感できるゴールを定めたうえで、「研修会社」に共同作業を依頼する。

01 そもそも「人材開発」って何だろう？

■ 担当者が最初に抱える疑問

いきなり人事部に配属されて、「人材開発」の担当といわれたあなたが最初に考えること。それはきっと、「人材開発」って何だろうという疑問のはずです。

すでに見てきたように、「人材育成」という言葉もよく用いられます。

両者にちがいはあるのか。あるとすればどんなちがいなのか。

そんなことを頭の隅に置きながら、言葉の意味について見ていくことにしましょう。

まず「人材開発」とは、教育や訓練といった方法によって、個人の仕事への意識を高め、知識を増やし、スキルを向上させ、アウトプットの質を高めることをいいます。

一般的な解釈では、意識や知識に関わるものを教育、スキルに関するものを訓練と呼んで区別していますが、**両者が効果的に結びつくことによって、成果へとつながっていきます**。研修や通信教育講座の受講は教育に含まれますし、日々のＯＪＴ(On-the-Job Training)や実習などは訓練として実施されることになります。

知識だけが増えても質の良いアウトプットにはつながりません。

スキルだけ高くても意識が低ければ、周囲にマイナスの影響を与えてしまいます。

ＯＪＴにしっかりと取り組んでいる会社であればあるほど、Ｏｆｆ-ＪＴ（Off-the-Job Training）なども活用して社員の気持ちの部分を大切にしていかなければなりません。

重要なのは、企業にとって大切な経営資源である人材の力を最大限に高め、組織としてのアウトプットを最大化するための**人材開発にはバランスが大切であるということ、そしてそれが企業の人事戦略として行われるという理解**です。

それでは、「人材育成」についてはどうでしょうか。

一般に「人材開発」と「人材育成」は同じ意味で用いられることも多く、区別しなくてもまちがいとまではいえません。私たちも常に使い分けを意識しているわけではありません。むしろ「人材開発」よりはなじみのある言葉のため、「人材育成」という言葉だけを用いて取り組みを進めているケースも少なくありません。

それでも、両者の間には大きなちがいがあると私たちは考えています。

企業にとっての「人材育成」とは、社員を「経営理念にもとづく戦略の実現=組織目標の達成に貢献できる人材」として育成することを意味しています。**教育や訓練にとどまらず、組織貢献の意識、自律性、主体性など、より内面的なスキルの育成を、長期的視点に立って実現していく**ことを目的としています。

いいかえれば、「人材育成」という長期的な目標を達成するための、それぞれの時点での最適な手段こそが「人材開発」であるということになります。


より大きな=長期的な視野に立って人材の育成状況について考えること。

個々の育成状況に応じて、短期的な課題解決策について考えること。

この2つの思考の使い分け、度数の異なるレンズの使い分けが重要であり、前者は経営層を中心に会社全体で考えていくこと、後者は人事部に期待される役割。

そんな風に考えていただいても差し支えありません。

「人材開発」と「人材育成」

経営者の視座

人材育成＝長期的な目標

人材開発担当の視座

人材開発＝それぞれの
時点での手段

「人材育成」という目標を達成するための段階的な手段が「人材開発」であるという理解

この点をふまえたうえで、もう少し具体的なところまで理解を深めていきましょう。

■課題を分析し、解決策を定める問

ここで、「はじめに」で記載した3つの場面設定を振り返ってみましょう。

設定①　はじめて、人材育成の課題を分析するようにいわれた。
設定②　はじめて、研修を設計するようにと指示を受けた。
設定③　はじめて、これからの人材開発のプランをつくるようにいわれた。

最初に目にしたときはぼんやりとした印象だったものが、「人材育成」と「人材開発」のちがいを理解した今では、この順番の理由に気がついたのではないでしょうか。
長期的な視点で考えたときの、現在の課題について分析することを求められているのが**設定①**になります。そこで発見した課題を解決するひとつのソリューションとして研修を設計するのが**設定②**。さらに、これは後段で詳しくお伝えしていきますが、研修のゴールを具体的に設定し、どこまで近づけたのか＝その効果をしっかり測定し、そのうえで、中長期的なプランを定めていくというのが**設定③**という流れになっています。

まさにこの流れに沿って進めていくことが、あなたに期待される役割なのです。

現在の課題を分析する際に必要なのが、「引き算で考える」という視点です。

経営戦略の実現＝組織目標の達成を可能にする人材とは、どのような人材をいうのか。そのゴールと現在を引き算した残りの部分が、そのまま現在の課題となります。

目的地がわからないのに、あと何時間かかるかを判断することはできません。人材の課題についてもそれはまったく同じで、悩みを抱えている企業では、ゴールとなる人材像が明確になっていないというケースも少なくありません。そのような状態で、いくら研修に時間と熱意を費やしたとしても、期待する効果は決して得られません。

人材開発担当者としては、少なくともこの引き算を常に意識しておきましょう。

まずは会社が定める理想の人材像についてしっかりと頭に入れることです。

もちろん、社員にはいくつもの階層があります。階層ごとに求められる姿も能力も大きく異なっているのが通常です。**それぞれの階層に応じたゴールを把握し、それぞれの現在**

「引き算で考える」という視点

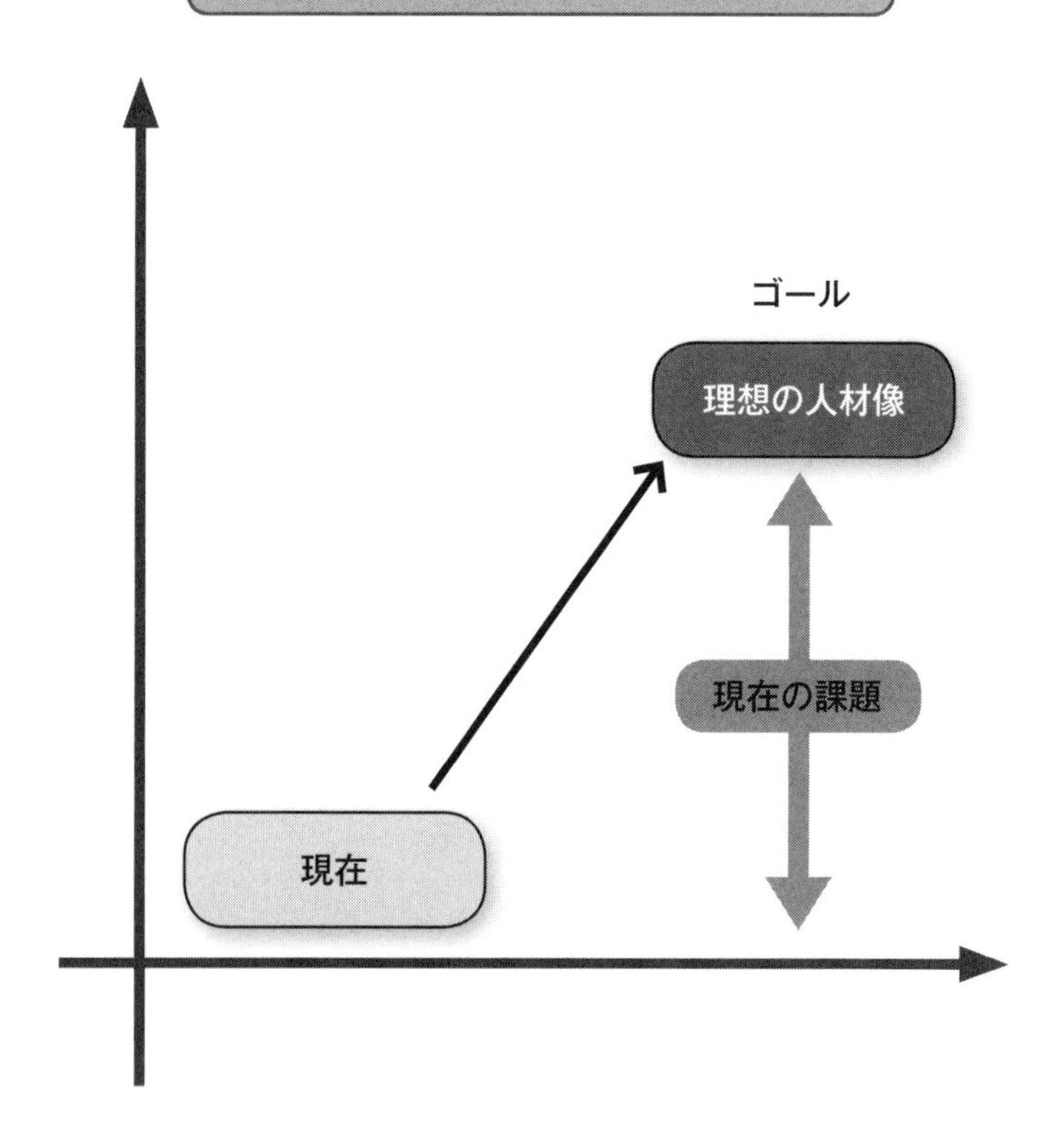

ゴールと現在地の距離にあたる部分が、「現在の課題」になる

地をたしかめることが、最初に解決すべきあなたの課題になります。

それぞれの現在地の姿は、おそらく大きくちがっていることでしょう。

知識も経験もスキルもちがうのですから、むしろそれが当たり前と考えるべきです。

それぞれの課題をふまえたうえで、それぞれに異なる最適な解決策を定めていくことが、人材開発担当者としてのあなたの次の仕事になります。

課題が異なれば、解決の方法も当然にちがってきます。

知識も経験も十分な管理職などの場合には、ディスカッションを重視した課題解決型の研修も十分に効果があるといえますが、どちらも足りない若手社員に同じことを求めても、机上の空論だけで実りのない時間を過ごす結果になりかねません。

若手社員に対しては、何を置いても知識や経験の量を増やすことです。

そして、継続的に意識に訴えかけながら、両者を自分の力に変えてもらうことです。

大切なのは、「この層の社員には何が足りなくて、どうすればそれを埋められるか」という思考を大切にすることです。研修は不足を埋める手段のひとつにすぎず、それだけで課題が解決する場合もありますが、研修が適さない場合というのも同様に存在します。

手段と目的をしっかりと見極めることが、あなたに期待されているのです。

02 人材開発に「研修」は本当に必要なの？

■ 研修とはあくまでも選択肢のひとつである

研修とは、人の課題を解決する選択肢のひとつにすぎないと書きました。

たとえば、「地震のリスクに備える」という課題の解決策を例に考えてみましょう。

本棚や冷蔵庫を耐震グッズで補強する。食料や水をストックしておく。地震保険に入る。耐震構造の家を建てる。あるいは、地盤の固い土地に住む。

他にも対策はあると思いますが、少なくともこれらの選択肢がすぐに浮かびます。

本棚や冷蔵庫は大丈夫だったとしても、土地が液状化することはあり得ます。ひとまずは飢えをしのぐことができたとしても、保険に入っていなかったせいで、家を建て直すことができないケースも考えられます。

地震のリスクにしっかりと備えるには、ひとつではなく複数の対策が必要です。
このことは、人材育成に必要なことを考えるとき、非常に参考になるといえます。**理想の人材像というゴールを達成するためには、ひとつではなく複数の対策を効果的に組み合わせ、それぞれの取り組みが互いに補い合う関係をつくる必要がある**のです。

後段でも詳しく見ていきますが、日々のＯＪＴは人材育成のかなりの部分を占めます。実際の仕事の場面で、メンター役の先輩から直接指導を受ける経験は、特に若手社員には何にも代えがたいものであるといえます。余談になりますが、最近ではオンライン化によるリモートワークが増えてきたことで、ＯＪＴの不足を嘆く声が非常に多くなってきました。対面でリアルに教わる経験の大切さを改めて認識したように思います。

また、単に知識をインプットするだけであれば、通信教育講座やe-learningなどの方法も一定の効果を発揮してくれます。何より、空き時間などを活用して自由に学べる点が最大のメリットなので、採用する企業の数は増加傾向にあるといえます。

さらに、直接業務に結びつく教育や訓練だけが人材育成の方法ではありません。
変化と競争が激しさを増す現代のビジネスシーンにおいては、非常に多くの社員が強いストレス環境に身を置いています。コーチングやカウンセリングといった方法を活用して、社員の心のケアをしていくことも人材育成には欠かせなくなってきました。

これらはどれも、研修と並んで重要とされる選択肢に該当します。

ここまでの理解をもとに、人材開発の選択肢という観点でさらに見ていきます。

長期的視野に立ったとき、さまざまな選択肢を効果的に組み合わせることで、会社として理想とする人材像へと近づけていく。その必要性は理解することができた。

それでも、人材開発という個々の場面、つまり短期的な解決を必要とする状況において、どの選択肢を採用するのが最適かというのは、また別の問題ではないのか。

このような疑問がわいてくるのはごもっともです。

それでも、**長い成長のための期間のなかで、知識をひたすらインプットする時期、または、アウトプットの訓練に費やす時期、日常という環境から離れて考えるタイミング、それぞれ成長曲線に適した瞬間というものがある**と考えています。

人材開発担当者に期待されているのは、今がどの瞬間かを見極める目です。

適切に見極めることによって、適切な選択肢にたどりつくことができる。

したがって、人材開発に関しても、研修は数ある選択肢のひとつといえるのです。

■「とりあえず研修」は最悪の一手

本項のタイトルにあるように、「人材開発に研修は本当に必要なの？」と訊かれたなら、その答えは明らかに「ＹＥＳ」です。

とはいえ、くり返しお伝えしているように、ファイナルアンサーではありません。

研修を実施することで、すべての課題が解決することは絶対にありません。

研修のプロがこんなことを口にするのはおかしいと感じる方も多いかもしれませんが、どんな病気でも絶対に治すことのできる医者がいないのと同じだといえば、多少なりとも伝わるところが増えるかもしれません。

人の成長に向き合う以上、人には真摯かつ誠実に対応したいと考えています。

もちろん、研修は心を込めてしっかりお届けしますが、その分だけ、研修という仕組みの限界についてもよく理解しているつもりです。

研修という仕組みの限界とは、後のフォローが難しいことにあります。

私たちの社名にある「トリガー」には、「きっかけとなる」という意味を込めていますが、**研修は「きっかけづくり」には非常にすぐれた手段である反面、その効果を研修会社として捉えることが困難である**という課題と、常に裏腹の関係にあるのだといえます。

そんな難しさを感じているからこそ、「よくわかんないけど、とりあえず研修」といったオーダーをいただいたときほど、苦悩する場面は他にありません。

「どうして研修が必要だと思われたんですか？」

私たちは必ずそう尋ねることにしていますが、その答えにもさらに困惑します。

「たまには外の刺激も必要だと思って」（どんな刺激かはわからない）

「いや、上司から研修を企画するようにいわれたから」（指示はそれだけ）

「ロジカルシンキングの本を読んでこれかなと思ったので」（読んだのは自分）

これらの声には共通して、現在の課題に関する分析が不足しています。

この状態のまま、どんなに熱のこもった研修を実施したところで、それが受講者にとってよいきっかけとなる可能性はかぎりなくゼロに近いといえます。

引き算のもとになるゴールがないのですから、当然といえば当然です。

できるだけ現状認識を深掘りして、私たちなりにゴールのありかを模索する努力だけは欠かさず行っています。それが「共同作業」になって研修に結びつくケースもありますが、多くはお断りをさせていただく結果に終わっています。

今のようなケースの場合、さきほどの問いの答えは確実に「ＮＯ」となります。

研修会社が研修を断るのには相当の勇気が必要なのですが、効果がないであろうことを知っていながらお金だけをいただくのは私たちの主義に反しています。

せっかくお問い合わせいただいたお客様には本当に申し訳なく思うのですが、それでも後になって「意味がなかった」とお互い不満を抱えるよりはずっとマシです。

こんな話を長々とお伝えしてきたのにはもちろん理由があります。

人材開発担当者になったあなたには、このような問い合わせを絶対にしてほしくないと私たちは考えています。**お互いに自信を持って、「人材開発に研修は必要だ」と答えられる状況を一緒につくっていきたい**のです。

そのためにはやはり、たしかなゴールの設定が必要になってきます。

この点は後でまた詳しく触れますので、ここではこのあたりにとどめておきます。

03 研修を「設計」するってどういうこと？

■「人の数だけ研修がある」現実

ゴールを設定することによって、具体的な研修の内容を決めていくことができます。

たとえば、「若手社員にもっと論理的思考力を高めてもらいたい」というゴールであれば、一般に「ロジカルシンキング研修」と呼ばれる研修を実施することになります。

多くの研修会社では、このような研修の一般的なフォーマットを用意しています。

しかし、それはあくまで「一般的な」内容に収まっているので、個々の会社の経営理念や業務内容、あるいは社内用語等にマッチしていない場合がほとんどです。せっかくの**研修を効果的なものとするためには、一般的なフォーマットを、あなたの会社にマッチした形へとカスタマイズしていく**必要があります。

ここまでの一連の内容が、研修を「設計」するという作業なのです。

私たちの会社では、お客様から問い合わせをいただいた際には、一般的なフォーマットをもとに研修の企画書を作成し、ご案内します。

企画書には、ヒアリングした内容をベースに設定した研修のゴールとコンセプト、さらに「カリキュラム」と呼ばれる研修の具体的な内容を記載しています。このカリキュラムが、先ほどお伝えした一般的なフォーマットに当たります。

もちろん、この段階で「わかりました。これでお願いします」とはなりません。カリキュラムのなかには、お客様の事情にマッチしていないものも含まれている場合がほとんどだからです。新入社員を除けば、すでに一定の教育の積み重ねがあります。それを無視して研修を設計することは、受講生の混乱を招き、失敗のもととなります。

カリキュラムを修正し、場合によってはゴールについても微調整するなどして、ようやく研修の設計が完了することになります。

あとはテキストを作成し、研修本番に臨むことになります。

テキストとは、研修本番で使用する教科書代わりの資料のことをいいます。

人材開発担当者としてのあなたが、実際に研修の設計という役割を与えられたときには、ここまでの内容を必ず思い出してください。

研修会社から送られた企画書を必ず確認すること。

特に、ゴールから逆算して眺めたカリキュラムが本当に適切なものかどうかについては、必ず確認してください。不明な点は遠慮なく質問してください。そして自社の事情に合ったカスタマイズを堂々とお願いしてください。

日本には、星の数とまではいかなくても、本当に多くの研修会社があります。

その周りには、さらに多くの研修講師が存在しています。

同じ名前の研修であっても、それぞれに独自のコンテンツを持っている場合が多いため、内容としてはまったく別物というケースも珍しくはありません。

「ロジカルシンキングの研修をお願いします」というオーダーだけを出して、あとはすべて研修会社に任せた結果、まったくニーズに合わない研修が行われてしまった。

そのような事態が起こらないよう、研修会社と十分な共同作業を積み重ねていくことが、人材開発担当者に期待される大きな役割なのです。

あなたがやらなければならないことが、だんだんイメージできてきたでしょうか。

●自社のゴールは自分たちしか決められない

「ロジカルシンキング研修について教えてほしいのですが」

そのような電話を人材開発担当者の方からいただくことが多くあります。

思わず研修の内容について説明しそうになる気持ちをこらえて、私たちは必ず、お客様がどうしてロジカルシンキング研修に関心を持ったのかを尋ねることにしています。

「この前、社内でプレゼンの研修をやったのですが、そのレベルが十分ではなくて」

「どのように十分ではなかったのですか？」

「いいたいことがよくわからない、資料の構成がわかりにくい、そんな感じでしょうか」

「わかりにくい原因が、**論理的思考力の不足**にあるということですか？」

「おそらくそうなんじゃないかと……」

「たとえば、ですが、**論理的に考えた結果を伝える力が足りない**という場合もあり得ます。私どもではプレゼンテーション用の研修メニューも用意しておりますので、もしかしたらそちらの方が御社のお悩みにはマッチしているかもしれません」

「では、そちらについても教えていただくことはできますか？」

このような形で、課題の本質を深掘りしていくことを心がけています。

細かなちがいに聞こえるかもしれませんが、「論理的思考力そのものが足りない」ことと、「論理的に考えた結果を伝える力が足りない」こととは、私たち研修会社の目でみたとき、非常に大きなちがいとして浮かんできます。

たしかに、考える力がなければ伝えることはできません。

しかし、考える力があっても伝えるための文章にうまくまとめられない。そんなケースも少なからず見受けられるのが実情です。

どちらのケースが多いのかによって、研修の力点がちがってきます。

考える力を育むことがゴールである場合には、徹底的に考えるトレーニングを重ねます。

他方、伝える力を身につけたいのであれば、伝える訓練に多くの時間を割きます。本番でのメニューの構成も、当然のことながら大きく異なります。

ひとつの研修としては、ほとんど別物になると考えてまちがいありません。

研修の力点をどこに置くかというのは、それほど大きな問題であるということです。

力点の置きどころを考えるのは、明らかに人材開発担当者の役割です。

もちろん、研修の設計は研修会社との「共同作業」であり、現時点での人材育成の課題を掘り下げていくためのお手伝いは私たちもしっかりとさせていただきます。

ですが、最初のボールを投げるのはあなたにしかできない役割です。

私たちは届いたボールを投げ返します。真の課題を発見するまで、何度でも、あなたとのキャッチボールを続けることができます。そのような「共同作業」をくり返すことによって、最適な研修を設計していくことができると考えています。

だとしても、**「ここがゴールだと考えている」という最初のボールだけは、研修会社には絶対に投げることができません。**

「とりあえず研修……」は最悪の一手だとお伝えしました。

さらにいうと、**あなたが考えるゴールにたどり着く手段を深掘りしていったとき、研修が最適の方法ではない場合も十分にあり得る**のです。

だからこそ、ゴールについて考えること、ゴールがどこにあるのか見定めること。それをあなたにお願いしているのです。

04 設計は「研修会社」に依頼すればいいの？

■自社のゴールを本当に共有できているか

研修の設計を研修会社に依頼することでよいのか。

この問いに対する答えは、すでに見てきたとおり、「依頼」という言葉の中身によります。すべて研修会社に「丸投げ」することが「依頼」であれば、答えは明らかに「NO」です。

しかし、最初のボールをあなたが投げ、「共同作業」としてのキャッチボールをすることが「依頼」であるならば、私たちは大きな声で「YES」と答えます。

ひとつの人材育成の課題について、複数の視点で考えていくこと。

それがうまく機能したときには、課題の深掘りがさらに進むことになります。

研修のゴールがその分だけクリアになり、カリキュラムも明確に定まってきます。これが私たちの考える理想の「共同作業」なのです。

このようなプロセスを経て実施する研修は、非常に満足度の高いものになります。あなたも私たちも、役割を十分に果たすことができたと実感する素敵な瞬間です。

そんな理想のキャッチボールの条件とはどのようなものでしょうか。

あなたが最初のボールを投げる。それを私たちがしっかりと受け止める。このやり取りをここでは、「ゴールの共有」と呼ぶことにします。

人材開発担当者と研修会社がゴールをしっかりと共有できたとき、期待する研修効果が十分に発揮されることになります。

ここでいう**研修効果とは、研修を実施したことによってゴールが実現できた。もしくは、ゴールまでの距離が確実に縮まった。そんな実感のことを指しています。**この実感が、何よりも大切なのだとお考えください。

少し話はそれますが、研修の効果を具体的に測定するのは非常に難しいことです。

ロジカルシンキングやプレゼンテーションといったスキル系研修の場合には、終了後に受講生の行動にポジティブな変化が見られたかどうかで判断することも可能です。ですが、人材開発担当者にできるのは上司へのヒアリングなど間接的な確認である場合が多いため、効果を具体的／定量的には把握しにくいという課題があります。

それでも、研修が効果のある選択肢のひとつであることはまちがいありません。双方がしっかりとゴールを共有し、当日の満足度をできるかぎり高めていくこと。満足度は終了後のアンケートなどによって確認することができます。

それと同じくらい大切なのが、研修当日に感じる受講生の熱量です。熱気に満ちた研修は確実に、受講生に対してポジティブな効果をもたらします。そのために、講師はさまざまな角度からアプローチしていくのですが、ゴールが不明確なままでは限界があります。だからこそ、あなたにはゴールの共有をしっかりと行うことが求められているのです。

研修会社の担当者と話すときは、自分と同じレベルの熱量で相手も話してくれているか。自社の課題を「自分事」として受け止めてくれているか。深掘りのための意見交換がたしかに成立しているか。それらの点を特に意識してください。

何をいっても「わかりました」は「他人事」の証かもしれません。

カスタマイズに対してネガティブな反応を示した場合にはリスクが高いといえます。

そのようなリスクを見極めることもまた、人材開発担当者としてのあなたに期待する大きな役割のひとつなのです。

ポジティブな「共同作業」がそこにあれば、信頼関係を深めていくことができます。

■ 研修の効果＝ゴールまでの距離を実感できるか

研修の効果として、ゴールが実現できる、もしくは、ゴールまでの距離が確実に縮まった、それを実感できるかどうかが重要であるとお伝えしました。

そのためには何より、実感できるゴールであることが必要です。

「将来、役員になるべき資質を備える」

「顧客のあらゆるニーズに対応できる力を備える」

「会社の屋台骨を支える人材になってほしい」

最初のゴールは、受講対象者が部長クラスである場合には距離を実感できます。しかし、若手社員の研修でそれを設定してしまうと、効果はたちどころにあいまいになります。

次のゴールは、「そもそも実現可能なのか？」という疑問を含んでいます。

「あらゆるニーズ」が3つくらいしかないのであれば対応できるかもしれませんが、それは明らかに現実的ではありません。

最後のゴールは、気持ちとしてはよくわかります。

それでも、「屋台骨の支え方」には、実際のところさまざまな形があると思っています。

これもまた、距離を実感できるゴールとしては不適切といえるでしょう。

今見てきた3つの「ゴール」、特にあとの2つについては、未だ「理念」の段階にあると考えることができます。

「理念」とは目的であり、それを明確なイメージに落とし込んだものが「ビジョン」です。「ビジョン」を実現するためにあるのが「戦略」であり、「戦略」を具体的な取り組みへと落とし込んだものが「目標」です。

私たちが考えるゴールとは、最後の「目標」に当たるものです。

人事「戦略」があって、そのひとつが人材開発であり、そこに「目標」が設定される。

そのように考えると、わかりやすいのではないでしょうか。

したがって、ゴールはひとつである必要はなく、たとえば**社員の階層ごとに、それぞれのゴールがあったとしても不思議でないどころか、むしろ当然のこと**といえます。

人材開発担当が考えるゴール

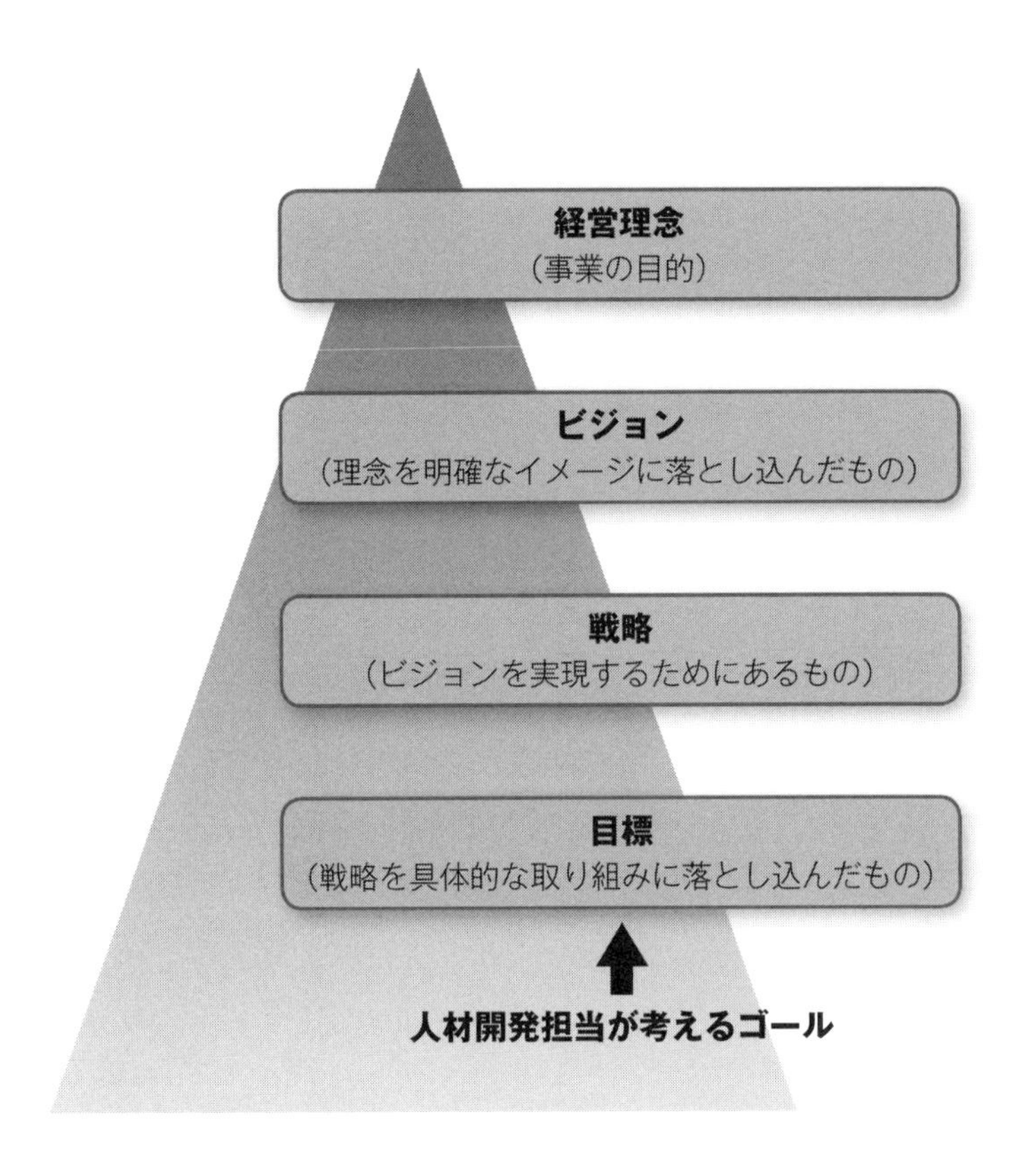

「経営理念」を「ビジョン」化し、実現のために「戦略」を考え、「目標」を立てることがゴールになる

あなたが担っているのは、そのようなゴールの実現に貢献することです。実現の手段のひとつとして研修があり、研修の実施が課題解決に最適と思われる場合には、最初にどのようなボールを投げるべきかをしっかりと考えていくのです。

いきなり研修を設計しようと考えても、うまくいかない場合が多い。

ここまでの内容をふまえたとき、この点についてはしっかりとご理解いただけたものと考えています。しかし、大切なのはさらにその先です。

いやいや、4つの疑問を解決するだけでも大変だったのに……

そんなため息をついている方がいたとしたら、まったく心配はありません。

あなたが真剣に考えて投げたボールは、私たちがしっかりと受け止めます。そのうえで、あなたの課題解決にとって最適な方法を一緒になって考えていきます。

研修が最適な手段と思われない場合には、私たちはハッキリとそうお伝えします。

そのことを、しっかりと心にとめておいていただけると大変うれしく思います。

次章からの内容は、本章でお伝えしたことをさらに具体的に深掘りすることで、あなたの理解を深めていくためにあります。

つまり、研修設計のエッセンスはここでほとんどお伝えしてしまいました。
改めて、本章の内容を十分に腹落ちさせたうえで、次章のページを開いてください。

コラム❶

先入観を持たずに確認することの大切さ

会社を設立して間もないころ、あるお客様からお問い合わせをいただきました。電話でお聞きするかぎり、その会社は従業員20名の規模で、特に若手社員が多いため、一般的なビジネスマナーを知らない点を課題と考えている、とのことでした。

そこでさらに詳しくお話をうかがうため、アポイントを取って訪問することにしました。面談の場に来られたのは社長と役員のお二人。新卒、第二新卒、アルバイト登用と採用のソースもバラバラで、お仕事の様子を眺めるかぎり、ほとんどの方がその場の流れのままに業務をこなしているとの印象を受けました。その反面、メンバー間のコミュニケーションはしっかり取れており、非常に温かみのある会社との印象も受けました。

そんな印象もお伝えしながらさらにニーズを深掘りしていくと、マナーを知らない点も問題ではあるのですが、多くの方が流れに任せて仕事をしていることで、今やるべき業務が不明確であったり、チームとしての分担がうまくできていなかったりと、他にも改善すべき課題が多く、また、長い残業時間に疲弊している社員がいることも問題でした。

私が最終的に提案をさせていただいたのは、マナーについては概略と大切さだけを学び、そのうえでチームビルディングや管理職のリーダーシップ、マネジメントといった要素を加えた研修です。さらに、スケジューラー（グループウェア）を導入することで、目の前の仕事に手を出すのではなく、1日や1週間といった単位で業務を考える習慣を身につける。個人が考えたスケジュールを入力しておき、それをマネージャーが確認して、アドバイスや役割分担を見直す仕組みを導入したいとお伝えしました。

無事にご快諾いただき、研修の実施はもちろん、私が知っているグループウェアを紹介し（これは自社の利益にはなりません）、導入のサポートも行いました。その後、メンバーがシステム運用に慣れてきた頃から残業時間が減り始め、因果関係は不明なままなのですが、離職者も減少し、最終的にはゼロになりました。まずは先入観を持たずに、課題とゴールを確認すること。そのうえで客観的な提案を実施すること。それができれば、目に見える形で成果が出ることを改めて実感した案件でした。

（笹木）

第１章のまとめ

1 そもそも「人材開発」って何だろう?

長期的な理想の「人材育成」のために、現時点での課題を解決するために行う教育や訓練などの取り組み。

2 人材開発に「研修」は本当に必要なの?

「研修」は、人材開発の重要な選択肢のひとつ。課題の解決に適している場合には、十分な効果を発揮する。

3 研修を「設計」するってどういうこと?

研修のゴールを明確にし、ゴールから逆算して最適なカリキュラムへカスタマイズすること。

4 設計は「研修会社」に依頼すればいいの?

「丸投げ」はNGだが、研修会社に依頼して共に解決に取り組むことで、研修効果が非常に高まる。

第 2 章

企業の人材開発をとりまく状況

本章でお伝えしたいこと

① 人を大切にする会社だけが、会社としての成長を実現することができる。

② 社員の価値観が多様化している現実をふまえ、成長のゴールを設定していく。

③ 多様化する学びのツールや学習方法を、目的に応じて適切に使い分けていく。

④ 課題を深く掘り下げることで、研修の内製化／外注の判断が可能となる。

01 人を大切にしない会社は成長しない

■人は会社が成長するための大切な資源である

本章では、企業の人材開発を取り巻く現状についてお伝えしていきます。

すでにご存じの内容とは思いますが、確認の意味も含めて見ていくことにします。その分、個々の記載はコンパクトにまとめてまいります。

最初のポイントは、成長する会社には人を大切にする組織風土があるという点です。

テクノロジーが発展し、技術への依存度が高くなったとはいえ、ビジネスとは根本的に人と人との間で行うものです。つまりビジネスとは常に人間のものだということです。

組織の力は、仕組みによっても大きくちがってきます。

とはいえ、個々の人材の力が弱いままでは、どんなにすぐれた仕組みを構築したところで組織の力は向上しません。**ベースとしての個の力があってはじめて、それを適切に結びつけ、組織力を最大化するための取り組みが効果的になる**ということです。

社員という個に目を向けない会社は、たしかな基礎を築くことができないのです。

企業によっては、「人財育成」などのように、人は会社にとって大きな財産であることを明確にする目的から、「財」という文字を用いるケースもあります。

研修会社など外部業者に支払う費用だけではなく、あなたのような人材開発担当者にも、当然のことながら人件費が発生しています。それは決してバカにならない金額です。会社はそれだけのコストを負担してでも、財産である人に投資を重ねていきます。

それは**人の成長が、いずれ会社にとって、もっと大きな成長となって返ってくることを、十分に理解しているから**です。

だからこそ、研修ひとつをとっても、費用対効果が重要になってくるのです。

これからＡＩの時代に突入していきますが、どれだけテクノロジーが発達したところで、根本が人であるという点は決して変わることがありません。

人材開発担当者として、この視点を忘れないことは非常に重要です。

あなたと私たちの「共同作業」が、これからの企業の成長をしっかりと支えていく。

その想いを共有して、ひとつの研修を大切にしていきたいと考えています。

■成長が止まるだけではなく、さらなるマイナスの影響も

企業が成長しないということは、「成長が止まる」＝「現状維持の状態に陥る」といった状況を意味している、そんな風に考える向きもあるかもしれません。たしかに、日本語には「伸び悩む」という言葉もあるとおり、プラスの効果を発揮するまでには至らない。そんな理解をしている方も少なくないように感じています。

たしかに、ある意味では「成長のストップ＝現状維持」という公式も正解です。ですが、これまでの経験から振り返ってみたとき、人を大切にしないことによって生じる影響は、現状維持にはとどまらないことが明らかです。

その最たるものが、離職率の増加です。

安定した生活を得るために働く。できるだけ多くの収入を得たい。ネームバリューのある会社で働きたい。もちろん、働く動機には色々なものがあります。なかでも、人間としての成長を実感したいという想いを、非常に多くの方が抱えています。

この想いに応える会社とそうでない会社とでは、社員の定着率に大きなちがいが生まれ、後者は会社としての成長に大きなマイナスの影響が生じることになります。

「この会社にいても、自分が成長できるという実感を持てなかった」

転職を経験したビジネスパーソンの多くが、このような理由を口にします。

そして、こうした動機を持って転職した方々の実に多くが、転職先で自己成長を実現し、組織の成長にもしっかりと貢献しています。

たしかめたわけではありませんが、元の会社のマイナスは計り知れないと想像します。

企業が取り組む人材育成において、こうした理由で離職する人材を生み出さないことが、何より重要であることはいうまでもありません。特に力のある人ほど、今いる環境が自分に成長をもたらすかどうかに、非常に敏感であるといえます。

そのような人材の期待に応えていくことが、人材開発の重要な役割なのです。

人材開発の取り組みが活性化すればするほど、社員は自らの成長を実感し、組織に対するロイヤリティも高まり、それが会社としての成長につながります。

激しい競争を勝ち抜くには、何より社員を大切にし、成長の機会を提供すること。

ここでぜひとも、この点を再確認いただきたいと思います。

02 社員個人の価値観が多様化している

■「社員の数だけゴールがある？」

組織にとっての財産である人の成長としっかり向き合っていくこと。

社員が確実に成長し、それをしっかりと実感できる環境を整え、会社全体としての成長を実現していくこと。それが人材開発にとって重要な視点であるとお伝えしました。

ここで、前章での記載を覚えている方は、ひとつの疑問を抱いたかもしれません。

前章では、同じテーマでも研修講師によって伝えたいことがちがっており、極端な場合はまったくちがった研修になることもあり得ると書きました。

仮に講師の数だけ研修があるのだとすれば、社員の数だけゴールがある。

つまり、**社員が考える成長＝ゴールやそれを実感する方法。さらには、会社全体の成長**

にどのような形で貢献していきたいのか。

それらが社員それぞれに大きく異なるということではないのか。

こうした疑問に対しては、まったくそのとおりという以外に方法はありません。

時代の変化と共に、私たちの価値観は大きく変化しました。

会社に入って働くことの意味も、先ほど見てきたように、自身の成長であったり、生活の安定であったり、競争を勝ち抜いて出世することであったり、本当にさまざまです。

昭和の時代には、会社に入ってせめて課長くらいには出世し、そうすれば退職後は郊外の一軒家で悠々自適に暮らすことができる、そんな人生設計を多くの「サラリーマン」が抱えていたにちがいありません。

ですが、平成を経て令和になった現在、昭和のシステムを支えていた終身雇用は崩壊し、副業やフリーランスといった働き方が当たり前になってきています。

実力があれば、会社に頼らなくても生きていけるにちがいない。

そんなことを考える人も増えていることを否定はできません。だからこそ、**企業における人材開発は年々難しさを増している。それは否定できない事実として受け止めるべきです。そのうえで、困難を克服する道を探していく必要があります。**

そのために必要な観点を、次項で見ていくことにしましょう。

どれだけ効果的な「最大公約数」を描くか

研修をはじめとする人材開発には、ゴールが重要であるとくり返しお伝えしました。

このことと、多様化する価値観の問題とを結びつけて考えたとき、人材開発担当者であるあなたの困難は、より明確な像を描くことになります。

社員それぞれに異なるゴールを、どうやってひとつのゴールにまとめていくのか。

たとえば、「１ｏｎ１」やコーチングのように、個と向き合う取り組みも存在します。

しかしながら、研修や e-learning といった人材開発の多くの取り組みにおいては、個々のゴールとすべて同じように向き合うことは、不可能といわざるを得ません。

だからといって、それらの取り組みをしないという選択肢も想像できません。

ボトム層に合わせればトップ層がつまらないと感じる。逆に、トップ層に合わせた場合はボトム層が置いてきぼりを食らってしまうことになる。安易に「中間」を狙ってしまうと、どちらにとっても実りのない取り組みになってしまいかねない。

人材開発のゴール設定には、このように二重三重のトラップが仕掛けられています。このトラップをいかに回避するかで、取り組みの効果が大きくちがってくるのです。

そこで、人材開発担当者であるあなたの出番がやってきます。

誰にとっても実りのない取り組みは最悪の一手です。とはいえ、全員が同じように効果を実感できるといった状況は、現実にはかなりハードルが高いといえます。

こうした産みの苦しみのなかで、現時点におけるベストの答えを追求すること。**できるだけ多くの社員が成長を実感できる、最適な「最大公約数」を描き出すこと。**

もしかしたら、こうした最適な「最大公約数」の設定は、対象となる受講者をどのように絞り込んでいくのか、という課題にもつながっていくかもしれません。

年次で一律に輪切りにするのがよいのか。それとも、役割で区切っていくのか。

どのような方法を選択しても、メリット／デメリットの双方が存在します。

人材開発担当者に求められているのは、**どのメリット／デメリットを選択するのかという、いわば勇気の問題に他なりません。よくよく考えたうえでの決断力、それを説明する根拠、そういった要素も重要になってきます。**

決して簡単ではない問題ですが、ここがまさに活躍の場面であるといえます。

03 学びの手段が多様化している

■ 学習ツールの多様化

人材開発にとって研修とは、重要ではあるものの、数ある選択肢のひとつにすぎないと、ここまでくり返しお伝えしてきました。

学びの手段は年々多様化しており、そのすべてを取り扱うことはできませんが、ここでは代表的な3つの学びについて見ていくことにします。

ひとつ目はセミナーです。社外で開催される公開型のセミナーを社員に案内し、希望者が出席するというパターンが一般的です。費用負担についてはケースによって異なります。

なお、研修とセミナーのちがいについてときどき質問を受けるのですが、セミナーとは、主催者がテーマを設定し、関心のある人が参加する方式の勉強会のことです。**講師が有する独自の知見に触れられる一方、業務との結びつきはない**点にデメリットがあります。ここが研修と大きく異なるところだといえます。

次に、e-learningを挙げることができます。

業務に関係するさまざまな知識のポイントを、幅広く、かつ簡単に学ぶことができる点にメリットがあるといえます。最近ではコンプライアンスや社内ルールに関する知識確認を、e-learningで実施するケースも増えてきています。**汎用性の高い知識を学ぶ際には、非常に適した方法である**といえます。他方、本質的な部分まで学びを深めるのには適していません。問題は基本的に一問一答形式なので、応用的な学びには対応することが困難です。

こうしたデメリットを克服するのが、最後に取り上げる通信教育講座です。

２〜６か月程度の時間をかけて、**ひとつの分野の知識を体系的に学ぶことができ、学びを深めたいビジネスパーソンにとっては不可欠の選択肢**です。公的な資格を取得する際にも、通信教育講座が効果を発揮します。ですが、長期間に及ぶ分、学びが継続しにくい、時間を十分に確保できない、といったデメリットが存在します。

これらの選択肢を目的ごとにうまく使い分けていくことが、効果を最大化するためには非常に重要になってきます。担当者としてもぜひ意識しておきたいポイントです。

● 学習方法の多様化

学びのツールだけではなく、学習方法もまた多様化の一途を歩んでいます。

特に、コロナ禍によって、オンラインを活用したリモートワークが一般的なものとなり、その影響は研修にも及ぶことになりました。それまで研修といえばリアルが当然でしたが、最近ではむしろ、オンラインでの受講を望む声も増えてきたと実感しています。

ここでは、研修を念頭に置きながら、代表的な3つの学習方法のメリット／デメリットを見ていくことにします。

リアルな研修では、講師が受講者の目の前で想いを伝えることができます。

また、受講生間のディスカッションも、自分に不足している視点や気づきを得るうえでは欠かせないもので、これもまたリアルに実施する方が、議論が活性化するものといえます。**こうした「臨場感」こそが、リアルのメリットに他なりません。**

他方、場所の拘束を受ける点で、特に研修会場から離れたエリアで働く社員にとっては、デメリットが大きくなってしまいます。研修の多くはまる1日かけて行うのですが、遠くのエリアからくる受講生は、さらにもう1日つぶれるリスクがあります。

その点、**オンラインは場所の悩みを解消してくれます。**

ディスカッション用の部屋を用意することによって、受講生間のコミュニケーションも一定レベルでは図ることができます。とはいえ、「臨場感では」リアルに圧倒的に敵わず、ネット環境の不具合やロープレができないといった不満はどうしても残ってしまいます。

何より、**端末と長時間にらめっこの時間は疲労とストレスの問題を引き起こします。**

オンデマンドとは、予め作成した動画等を用いた学びのことです。

受講生が空いた時間を活用し自分のペースで学べる点、時間や場所の拘束が少ない点が、この学びの最大のメリットといえます。しかしながら、すぐには質問できない、学んでいる時間は孤独、したがって他者から気づきを得られないといったデメリットがあります。

知識を付与する要素が高い研修は、オンライン化が進んでいくと考えています。

他方、議論する時間にこそ意味があるという場合には、リアルを採用すべきといえます。

大切なのはやはり、目的に応じた使い分けであることに、まちがいはありません。

04 研修を外注する際の判断基準が不明確である

■ 社内研修との「すみ分け」をどう考えるか

人材開発の選択肢として研修を選択する際、リアル／オンラインといった方法以外にも考えるべきことがあります。それは、その研修を内製化するのか、それとも私たちのような研修会社に外注するのか、という問題です。

内製化とは、社員が講師を務め、社内の人間だけで実施することを指します。

とはいえ、**研修を設計するうえで、どのような基準で内製化／外注を決めればよいのか、明確な指針は必ずしも示されていません。**

そこに現在の人材開発が抱える、ひとつの大きな問題があります。

研修を内製化することは、理念としては理想のようにも思われます。社員だからこそ課題の本質を見抜くことができ、解決策も適切に示唆することができる。そうなれば学びの効果は当然に高まり、なおかつコストは発生しない。まさに一石二鳥と考えることもできなくはありません。

ですが、**社員だからこそ当たり前に感じていること＝先入観が、課題の本質を見誤らせ、解決をかえって難しくしている可能性も同じだけ想定することができます。**事情を十分に理解してない外部の人間だからこそ、小さな違和感を見逃さない。それが効果を発揮するケースも、経験的には非常に多いと感じています。

「とりあえず研修……」は最悪の一手であるとお伝えしたように、「すべてを外注」もまた適切な判断であるとはまったく考えてはいません。少なくとも私たちである必然性がない研修でお金をいただくのは、決して気持ちのよいものでもありません。どちらの研修にもそれぞれのメリット／デメリットがあり、大切なのはやはり、ここでも両者の最適な組み合わせです。

社内研修と外注との「すみ分け」をしっかりと定めることが、研修を設計する担当者に

は何より期待されていることなのです。

もちろん、私たちは「すみ分け」に関する相談にも喜んで対応させていただきます。

●判断のポイントは実情によって異なる問

先ほど少しだけ見てきたように、判断のポイントはどこに力点を置くかによって大きくちがってきます。社員だからこそ「わかる」部分を重視するのか、それとも社員だからこそ「見過ごす」懸念を解消したいのか。

ここでもやはり、大切なのは、どのようなゴールを設定するかという問題です。

たとえば、「営業スキルの向上」というゴールをもとに考えてみます。

社員の営業スキルを伸ばしていくうえで、商品やサービスについての知識をさらに深く掘り下げる必要がある場合には、内製化が適しているといえるでしょう。

他方、コミュニケーションスキルなどを伸ばしていくためには、思い切って外部の視点を導入し、フラットに現状の課題を見てもらうことで、今後の改善に向けた効果的な気づきの機会とすることができます。

ゴールが同じだったとしても、通るルートが異なれば、実施の方法もちがってきます。

お客様と話していてよくいただくのが、「喝を入れてほしい」というご要望です。社内の人間がいくら口を酸っぱくしていったところで、経験を重ねている社員であれば慣れっこになっている。それでは閉塞した状況を打開することができない。

そんなときには社外の講師を呼んで、厳しいコメントをぶつけてもらう。

当然のことながら、参加者からは強い反発が出ることも予想されます。それでも、むしろその反発こそが行動改善のエネルギーになる。そこまでをしっかりとすり合わせた上、社外の講師に嫌われ役を担ってもらうことができれば、それも立派なゴールといえます。

何を実現したいのか。あるいは、どのような課題を解決したいのか。

それをしっかりと掘り下げていくことができれば、判断のポイントが見えてきます。

外部の講師といえども万能ではありません。

講師の力を最大限に発揮してもらうには、その講師のスキルや特徴と研修のゴールとが、しっかりとマッチしている必要があります。最適なマッチングを生み出していくためには、あなたと私たちの「共同作業」が欠かせません。

実情を研修会社と十分に共有し、内製化／外注を判断していくことになります。

コラム❷

「安い」はまったく理由にならない

これは、ある不動産販売会社で実際にあったお話です。

その会社では「社員のスキルアップ」を目的とした、何か新しい取り組みが必要であると、人事部を中心に議論がくり返されていました。なかなか意見がまとまらなかったのですが、最終的には、そのとき流行り始めていたe-learningを導入することになりました。私たちは研修実施について、いくつか意見を述べさせていただいたのですが、最終的には残念ながら、別の選択肢が採用されることになったわけです。

もちろん、このこと自体がすぐに問題であるというわけではありません。

しかし、e-learningを導入し、社員が受講しはじめてしばらく経ったころ、その会社から私たちのところに再び電話がありました。若い人材開発担当者の方で、比較的ストレートに本音をお話しいただくことができました。

「秋葉さん、ちょっと愚痴ってもいいですか」

「いいですよ」

「本当はみんな研修がいいと思っていたんですけど、安いという理由だけでe-learningに決まったんです。それも最後は社長のトップダウンで」

「そうだったんですか」

「でも、導入してもほとんどの人がまじめに取り組まなくて、怒る人がたくさん出てきて、慌ててアンケートを取ったんですけど、もう散々な結果でした」

「たとえば、どんなことが書かれていたんですか？」

「現状の業務とかけ離れているのでやる気が出ない。それだから学ぶ時間を確保するのも消極的になる。必然的に決められた期間内にすべてを消化できない。そして上司に一方的に怒られる。だからますますやる気が失せていく。そんな感じです」

「人材育成ではなく、何かの罰ゲームのような感じですね」

冗談でいったつもりが、真剣な声で「そのとおりなんですよ」とのお返事がありました。

この事例から改めて、「安い」はまったく理由にならないことを学びました。

（秋葉）

第２章のまとめ

1 人を大切にしない会社は成長しない

人を大切にすることで社員は成長を実感し、それが組織へのロイヤリティを高め、会社としての成長につながる。

2 社員個人の価値観が多様化している

それぞれに異なる成長のゴールを、メリット／デメリットを十分に勘案しながら、「最大公約数」にまとめていく。

3 学びの手段が多様化している

異なるメリット／デメリットを十分に理解し、目的に応じて、それぞれのメリットが最大化する方法を探っていく。

4 研修を外注する際の判断基準が不明確である

判断のポイントは実情によって異なる。課題を十分深掘りし、「共同作業」によって内製化／外注を判断する。

第3章

STEP①
成長のゴールをしっかりと定める

本章でお伝えしたいこと

① 「理念」からの「引き算」によって現時点の課題＝ゴールを導き出す。
② 研修効果を最大化するために、ゴールを共有し内容を設計していく。
③ 「引き算」で「足りないこと」を求め、「やるべきこと」×適切な選択肢で解決する。
④ 行動事実の積み重ねによって「先入観」を回避し、ゴールを明確に設定する。

01 どのような人材に成長してほしいのかを明確化する

■ 人材育成／人材開発に関わる3つのゴール

いよいよここからは、人材開発担当者が行うべき仕事の4つのステップについて、詳しい内容を見ていくことにします。これらのステップをしっかりと踏むことで、効果的な研修を設計し、あなたに期待される役割を十分に果たしていくことができます。

最初のステップは、「成長のゴールをしっかりと定める」ことです。

すでにくり返しお伝えしてきたように、ゴールが明確に定まっていなければ、課題解決にもっとも適した取り組みを見出すことはできません。

あなたが最初のボールを投げなければ、「共同作業」ははじまらないのです。

人材育成／人材開発に関するゴールには、実際のところ3つの種類があります。

これら3つのゴール、ならびに、それぞれの内容を正確に理解できなければ、私たちとのキャッチボールは非常にぎこちないものになってしまいます。

ひとつには**人材育成において不可欠の長期的なゴールで、これには企業が社員に求める理想的な人材像が描かれています。**一定の時間をかけて、この理想像にマッチした人材へと成長するために、企業は多額のコストと時間を費やします。

それだけの大きな投資をしたとしても、社員が期待どおりの成長を見せてくれたならば、組織の成果として将来に必ず返ってくる。

経営層が抱くこの熱意に応えていくことが、人事部に与えられた重要なミッションです。企業にとっての理想の人材を一人でも多く輩出することが求められているのです。

この理想を実現するためには、具体的な「戦略」が必要となります。

人材開発とはまさにこの戦略に該当するものであり、経営層からの指示のもと、担当するあなたたちが主体となって、中期的な視点から社員の成長を具体的な形で考えていきます。多くの企業では3年程度の中期計画を掲げています。**この3年で社員にどのような成長を期待するのか、それが戦略としての人材開発が考えるべき内容です。**

この3年後の姿こそが2つめのゴール＝中期的なゴールを意味しています。

中期的なゴールには、残念ながら、いきなりたどり着くことはできません。

1年目、2年目、3年目、それぞれに適切な段階を経ていく必要があり、しかも、社員の経験や能力などによって「適切な段階」の内容はちがってきます。それぞれの層に応じた、それぞれに最適なルートを用意しなければ、全員が中期的なゴールにたどり着くことなど決してできないと考えるべきです。

たとえば、3年目の社員であれば論理的思考力を身につける。あるいは、6年目になれば後輩の意見にしっかりと耳を傾け、組織の課題を発見できるようになる。

このようなそれぞれのゴールのことを、私たちは短期的なゴールと呼び、まさにこれらの短期的なゴールこそが、人材開発の個々の取り組みなのだと考えています。

人材育成をマラソンに例えるならば、「理念」の実現は42・195㎞先にあります。

5㎞地点、10㎞地点が中期的なゴールを意味しており、そこまでのタイムが成長を測る重要なバロメーターになってきます。

そして、1㎞ごとに刻むラップこそが短期的なゴールに該当します。

人材開発担当者は人材育成という長いレースにおいて、重要なペースメーカーの役割を果たすと同時に、1㎞ごとのラップを測定するタイムキーパーでもあるのです。

短期的・中期的・長期的それぞれのゴール

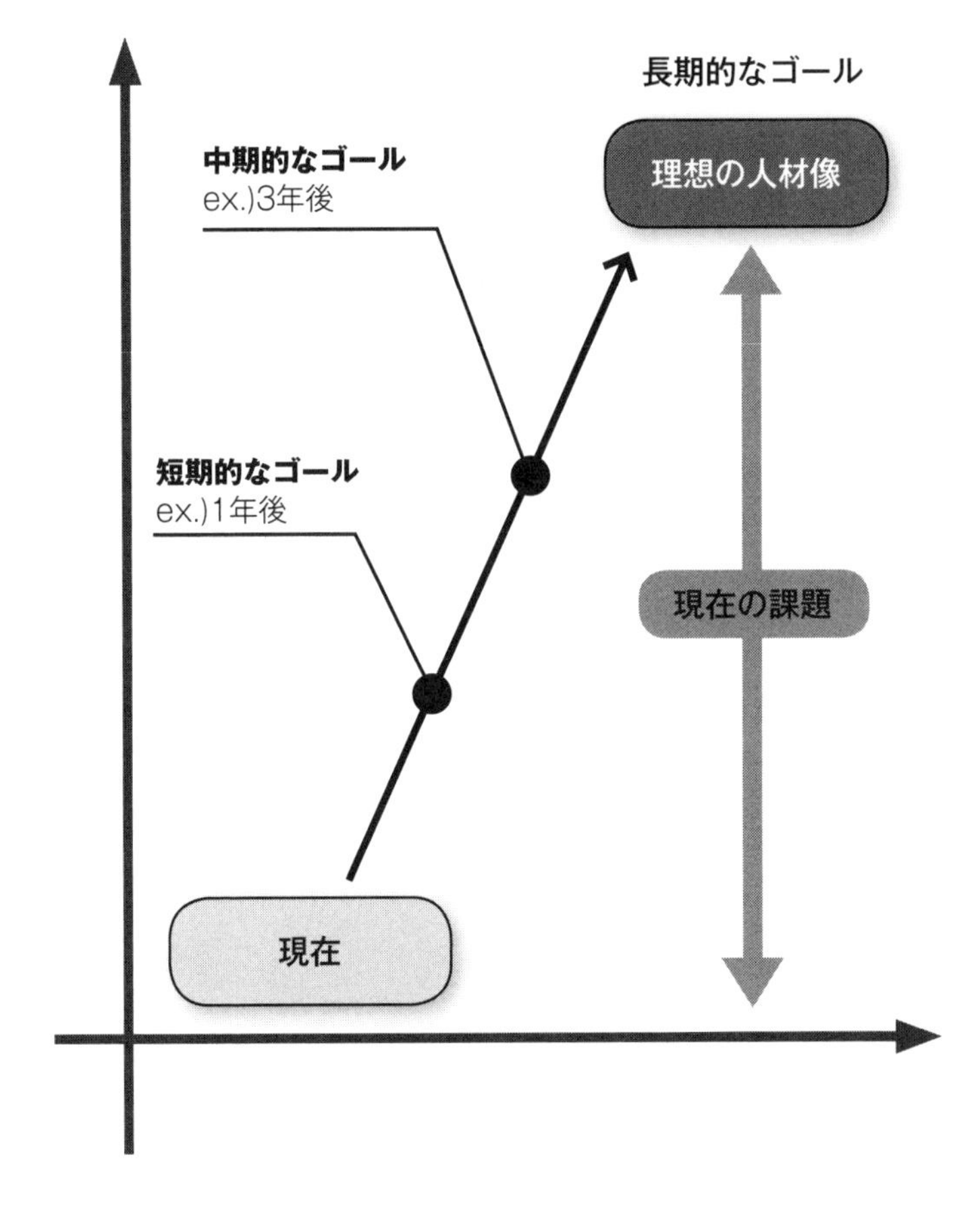

課題をクリアしながら（短期的なゴール）、社員の成長を見守り（中期的なゴール）、理想の人材像（長期的なゴール）に至る

ランナーの能力や経験をもとに、１㎞ごとの最適なラップを設定すること。

ここで設定したラップをしっかりと刻んでいくことが、ランナーにとっては現実的かつわかりやすい「目標」となります。速すぎれば後半に息切れする可能性があり、遅すぎればラストスパートの後半勝負に持ち込めないリスクが出てきます。

人事をマラソンに例える人は非常に多いといえますが、若くして出世した人が最終的に社長になるという保証はどこにもありませんし、ある時期から先を走っていた同期たちをどんどん追い抜いていく方もたくさん目にしてきました。

この話は余談なのでこれくらいにしますが、**今の自分の力に適したラップをしっかりと刻んでいくことが、理想のゴールにたどり着く確実な方法である**と考えます。

■人材開発の取り組みは「目標」＝短期的なゴールの実現を目指す

なかには自分で目標を設定し、管理することのできる人もいるかもしれません。

しかしながら、少なくとも経験的には、長いマラソンの道のりにおいて、自己管理だけで乗り切れる人は決して多くはありません。

だからこそ、ラップ管理に当たる人材開発の個々の取り組みが非常に重要なのです。

それぞれの層に最適なラップを考えること。

今の１㎞のラップをもとに、その次の１㎞にどのようなペースを求めていくのか。

その先に見えてくる答えこそが、個々の人材開発の取り組みにとってのゴール、人材育成全体の観点から見たときの短期的なゴールに他なりません。

だからこそ、力のちがいによってゴールの形もまたちがってきます。

それぞれに適したゴールを定め、それを明確な目標として示し、そこにたどり着くための知識や経験を付与していくこと。そのための手段として、研修などの選択肢が存在しています。**人材開発担当者は複数の選択肢のなかから個々のゴールにとって最適な方法を見つけ出し、取り組みの効果が最大化するよう努力を重ねていくことを期待されています。**

ここで見つけた答えこそが、「最初に投げるべきボール」になっていくのです。

３年後にどのような人材へと成長してほしいのか。

そのためには、少なくとも1年後にはどのような成長を見せていてほしいのか。

具体的な像が明確になればなるほど、社員の成長は確実なものとなっていきます。そんな環境をしっかりと整えることが、何より重要であることはいうまでもありません。

だからこそ、多くの企業では、社員に求める能力もしくは行動発揮の在り方を、職能等にもとづき具体的に示す努力を重ねています。

「引き算」がしっかりとできるように、「引かれる数」を明示しているということです。研修を設計していくうえで、この「引き算」を欠くことはできません。

当面のゴールに対して何が不足しているのか。それをどのように埋めていくのか。それを十分に検討し、研修のゴールやコンセプト、カリキュラムに落とし込んでいくことによって、真に効果的な研修を設計することができます。

あなたに必要なのは、「引かれる数」を隅々まで理解することです。

会社が求める理想の人材像を完璧にインプットし、それぞれの段階に求められる知識やスキルを腹落ちさせ、そこから現状を細かに分析していくことが求められています。

こうしたプロセスを経ることなく設計された研修は、ほぼ100％失敗に終わります。

400m走のペースで走らされるマラソンを想像すれば、イメージがわくでしょう。

02 ゴールが不明確なまま丸投げしたことで失敗した研修の例

■一本の電話が教えてくれたこと

「若手社員向けの研修について教えてほしいのですが」

ある人材開発担当者の方から突然、そんな電話がかかってきました。

「ひとくちに若手社員向けといっても、色々な種類の研修が考えられるのですが、具体的なイメージはお持ちですか？」

「具体的なイメージ、ですか……」

「はい。まず、**若手というのがどれくらいの年次の方を指しているのか。そして、たとえば御社で定める役割等級定義などをもとに考えたとき、どのような力を養っていきたいのか、それらの点についてどのようにお考えか、**という質問になります」

「毎年決まって実施している研修なんです」

「なるほど」

「私も今年から研修の担当になったばかりで、具体的なことは、その……」

そこで言葉が止まってしまったので、私たちの方から提案することにしました。

「もし、お電話よりも面談した方がよろしければ、こちらから訪問させていただきますが、いかがでしょうか。もちろん、お金はかかりませんので、そこはご安心ください」

「本当にいいんですか？」

担当者の声が急に明るくなったように感じられました。

3日後に訪問するアポを取り、ひとまず受話器を置くことにしました。


「お待ちしておりました！」

案内された会議室に入ってきたのは、20代半ばくらいの若いご担当の方でした。

ご本人の話では入社4年目。最初は営業現場に配属され毎日バリバリ稼いでいたところ、どこかで誰かの目にとまり、はじめての異動先が人事部だったとのこと。

「いきなり若手社員の人材開発担当を任されたのですが、詳しいマニュアルもなく。まあ、自分もまだ若手で研修を受ける身でもありますから、何となくはイメージできるのですが、それでも……」

「何かトラブルでもあったのですか？」

「研修自体はまあ、私自身も受けたことがあるものですし、**講師も毎年決まった人ですし、特に可もなく不可もなく終わった**んです。ですが、今年から人事部長が代わって、その人が非常に現場熱心で、しかもそれ以上に厳しい人で……」

「研修にオブザーブされたのですか？」

「はい。最初の年はすべての研修を自分の目で見たいといって……」

「それで、厳しいご意見があった、と？」

「ハッキリいってしまえば、もう完全にダメ出しを食らいました」

「なるほど」

「前例踏襲なんて、そんなの仕事のうちに入らない。何も考えずに研修を発注するなんて、人材開発担当者として最低限の仕事もしていない、と」

「厳しいですね」

「それで、これからどうしようかと思って、まずは御社にお電話を……」

「ありがとうございます。差し支えなければ、もう少し具体的にお話をうかがったあとで、私たちに何ができるかを一緒に考えていきたいのですが、よろしいでしょうか？」

■研修のゴールが会社の想いとまったく一致していなかった

私たちがご担当者から教えてもらった内容を整理すると、次のようになります。

その会社では、毎年入社3年目を迎えた同期が一堂に会して、まる一日の研修を受講する決まりになっていました。いつから「3年目研修」がはじまったのかはもうわかりませんが、おそらくは、お互いが成長した姿を見せ合い、今後のさらなる刺激に変えることを意図して、当初は企画された可能性が高いといえます。

したがって、**この研修を通じて何かを学ぶというよりは、会うことを目的とした、いわば懇親目的ともいえる研修だった**と考えることができます。

講師はもう何年もの間、同じ人が担当していました。

なぜ選ばれたのかも明確ではなく、テキストも判で押したように毎年同じもの。

しかも、内容は「先輩としての自覚を持つ」「上司にも積極的に意見する」「新入社員など後輩の面倒をしっかりと見る」といった、ただの心得のようなコメントに終始していました。

無論、**講師に丸投げして考えてもらったメニューで、特段の注文はつけていません。**

何人かの受講生は日々の仕事の疲れから居眠りをする始末。

それら諸々が積み重なって、先ほどの人事部長のお怒りへとつながったわけです。

現代の厳しいビジネス環境において、再会だけを目的とした研修は減っています。

もちろん、「同期との接点を刺激に変える」というねらい自体は非常に重要なものですが、それだけのために行う研修には費用対効果をまったく認めることができません。

人事部長のお怒りはごもっともで、前例踏襲はまさに「とりあえず研修……」に他ならず、理想と現在の「引き算」という人材開発担当者としての大切な役割を果たしていない点も、ご本人には誠にお気の毒ですが、事実といわざるを得ません。

「ちなみに、３年目の社員にはどのような役割が期待されているのですか？」

そう尋ねると、ご担当者からは次のような答えが返ってきました。

①自身ならびに組織の課題に対する解決策を、論理的に考え導き出すことができる
②自分の考えを、他のメンバーにもわかりやすく伝えることができる
③組織貢献の意識を持ち、自ら課題を発見する姿勢を身につけている

今まで現場で上司や先輩などから聞いてきた内容と人事部長が語った言葉を自分なりに解釈したうえで、このような気づきを得たとのことです。

「このゴールから振り返ったとき、今の3年目の方々に足りないことは何ですか？」

少し考えたあとで、ご担当者からは次のような答えがありました。

「去年の自分自身のことはさておき、**今の3年目社員を見ていると、組織に貢献するという姿勢はおおむね備わっている**ように思います。もちろん、個人差はありますが、弊社として大切にしている当事者意識は、みんな持っているように思います」

「となると、論理的に考える力、それを伝える力、それが課題ということですか？」

「特に、後者の力が弱いと感じています。この前の研修が終わったあと、何人かのメンバーと意見交換をしたのですが、それぞれに想いはあっても、それをうまく表現できていなかったというか。まあ、それは私もまったく同じなんですけど……」

「では、コミュニケーション研修のカリキュラムをベースに、相手との価値観のちがいにも配慮しながら伝えることの大切さを学ぶ。そんな研修を設計していきましょう！」

「ありがとうございます。よろしくお願いします！」

そして「共同作業」は続き、非常に熱のこもった研修を実施することができました。

03 「足りないこと」／「やるべきこと」の2つの公式

■公式1「理想の人材像－現在＝足りないこと」

ここでは2つの公式から、人材育成の現在の課題をどのように見つけていくのか、そして、それらの課題を解決するために何が求められているのか。それらを発見する方法について、詳しく見ていくことにします。

大切なのは「引き算」であるとくり返しお伝えしてきました。

ここではさらに視野を広げて、「引き算」の結果として得られたマイナス部分を埋める、「かけ算」の考え方にも触れていきたいと思います。

先ほどの失敗例を参考に、ここではちがった角度から考えてみましょう。

①自身ならびに組織の課題に対する解決策を、論理的に考え導き出すことができる
②自分の考えを、他のメンバーにもわかりやすく伝えることができる
③組織貢献の意識を持ち、自ら課題を発見する姿勢を身につけている

今の３年目社員が、それぞれ熱い想いは持っているにもかかわらず、仕事の課題について考える場面では、想いが全面に出すぎて客観的に物事を捉えることができない。具体的には、**「自分は○○だと思う」「私は□□が正しいと考える」などといったように、個人の感情で考えてしまう**メンバーが多い場合には、①の素養が不足しているといえます。

このような課題に対しては、ロジカルシンキングの基本的なフレームワークを身につけ、実際の業務課題にも通じるケーススタディに取り組み、メンバーとの議論を重ねることで、自らの課題に気づき、明日からの行動変容を促す研修が必要になってきます。

他方、論理的に考え、伝える力は身についているにもかかわらず、組織の課題について、「自分事」として考えることができない。**「残業している後輩がいても声をかけることなく先に退社してしまう」「指示されたこと以外には決してやろうとしない」**など、組織貢献の姿勢＝③の素養が欠けている場合も十分に考えられます。

このような課題が顕著である場合には、組織で働くことの意義や、期待されている役割、さらにはフォロワーシップの大切さなどを学び、具体的なケースを通じて実践的な力へと変えていく。そのような研修が効果的であるといえます。

それぞれの課題は、①〜③に示した「理想の3年目社員像」から現在の状態をしっかりと「引き算」することによって導かれたものです。

この「引き算」が適切に行われなければ、課題を正確に特定することはできません。

いいかえれば、あなたが私たちに投げ込むはずの「最初のボール」は決して見つからない、あるいは、投げたとしてもまっすぐに届かず、どこか遠くへ飛んでしまう。そんな状態へと陥ったまま浮かび上がることができないわけです。

適切な「引き算」を妨げる理由は、大きく2つに分けることができます。

ひとつには、ベースとなる「引かれる数」＝理想の人材像がない／わかっていないこと。

そしてもうひとつは、「引く数」＝現在のリアルな姿がわかっていないこと。

どちらの理由に該当しても、「引き算」の答えは正しいものにはなりません。

だからこそ、人材開発担当者になったあなたには、会社の理念はもちろんのこと、会社が求める理想の社員像について、隈なく理解する必要があるのだといえます。さらに、現在のリアルをしっかりと見抜く目がそこに加わります。見抜く目の鋭さは、関心の強さとおおむね比例しています。理解と関心が、たしかな「引き算」を引き寄せるのです。

公式２「やるべきこと×研修等の取り組み＝足りないこと」

深い理解と強い関心によって、あなたは「引き算」の正しい答えを見つけました。

そうなると、次に考えることとしては、どのようにして足りない部分を埋めていくのか。そんな新たな課題を挙げることができます。

「引き算の反対だから、今度は足し算か」

もしかしたら、そんな思いを抱いた方も多いかもしれません。

ですが、私たちは「足し算」では「足りないこと」を埋められないと考えています。

すでにお伝えしてきたとおり、研修は課題解決のひとつの選択肢に過ぎず、研修以外にもe-learningや通信教育講座、あるいは、ＯＪＴやＯｆｆ‐ＪＴといった選択肢のなかから、最適な方法を選択することができます。

課題と解決方法のマッチングを誤ってしまうと、単にプラスの効果が出ないだけでなく、

むしろ現状をさらに悪化させてしまう場合も十分にあり得ます。「足し算」ではこのような事態は起こりませんので、「かけ算」で考えるのが適しているというわけです。

研修等の取り組みの効果をしっかりと発揮するために、人材開発担当者であるあなたは課題と解決方法とのマッチングに気を配らなければなりません。

再び先ほどの例をもとに考えてみます。

①自身ならびに組織の課題に対する解決策を、論理的に考え導き出すことができる
②自分の考えを、他のメンバーにもわかりやすく伝えることができる
③組織貢献の意識を持ち、自ら課題を発見する姿勢を身につけている

3年目社員の現状が、**①〜③に示した素養はおろか、自社の商品に関する基本的な知識も不足している状況にある。**それが「引き算」の答えであるならば、あなた自身はどのような解決方法を採用するでしょうか。

このような状態で、外部の研修講師を招いても効果は期待できません。研修という方法に頼るならば、講師は知識豊富な先輩社員が務めるべきでしょう。

もっとも適切なマッチングは、勉強会のような方法かもしれません。だとすれば、あえて全員が集合する意義を見出すのは難しいといえます。

商品知識に関するe-learningを用意する。先輩社員に協力を仰ぎオンデマンドの教材を開発する。あるいは、各現場にＯＪＴを強化するよう指示を出す。内製化した研修よりも、**これらの方法を単独で／組み合わせて実施する方が、「かけ算」の答えは大きくなることが期待できます。マッチングを考えるとは、まさにこうした作業のことをいいます。**

「引き算」を適切に行うことによって、「足りないこと」が見えてくる。

「足りないこと」がわかれば、「やるべきこと」が明確になる。

「やるべきこと」にとって最適な方法を選択しマッチングすることによって、「かけ算」の答えの大きさが「足りないこと」と同じになる、もしくは、それよりも大きくなる。

このような状態を実現することこそが、人材開発担当者の役割なのです。

私たちは「引き算」の仕組みを教えてもらうことができれば、あなたとの「共同作業」でそれをさらに深掘りしていくことができます。

最適なマッチングを一緒に考えていくことも十分に可能です。

ですが、何もないところから「引き算」をはじめることだけは絶対にできません。

その点をさらに、次項で詳しく掘り下げたいと思います。

04 ゴールを設定できるのは人材開発担当者だけである

■実際に観察する以上にすぐれた方法はない

現在の人材育成の課題を見極めるための「引き算」に関して、「引かれる数」に当たる理想の人材像については、自ら調べる／上司や先輩にヒアリングするなどの方法によって、比較的スムーズに理解することができます。

しかし、短期的なゴール＝人材開発の個々の取り組みが目標とすべき姿を設定するには、「引かれる数」を理解しただけでは十分とはいえません。

「引き算」は「引かれる数」と「引く数」の2つがあってはじめて成立します。

「引く数」に当たる、それぞれの対象者のリアルな現在を知らないままでは、当面の目標とそれを実現するための最適な選択肢とを、適切に見出すことはできないわけです。

この段階において、あなたの課題は現状把握というステージに移行します。

個々の取り組みの対象となる層ごとに、「最大公約数」としてどのような課題があるのか、それらの課題が存在するのはどうしてなのか。

現状を生み出している背景についても、できるだけ詳しく分析する必要があります。

それらの作業を積み重ねることによって、「引く数」もまた明確になるのです。

とはいえ、どうやって現状を分析し、リアルな姿を把握すればよいのか。

人事部は間接部門であるため、個々の社員と接点を持つ機会はほとんどないといえます。実際に職場を訪れて直接ヒアリングする時間を持ったとしても、おそらくは「よそいき」のやり取りに終始し、実りある情報を入手できる可能性はきわめて低いといえるでしょう。

それでも、**情報の質は直接入手した場合にもっとも高く、人の手を経由した分だけ鮮度は落ちていく**と考えてまちがいありません。

だからこそ、あなたには情報を直接手に入れる努力が求められています。

研修などの限られた機会を最大限に活用して、受講者のリアルに触れること。ゆっくりと会話する時間は持てないとしても、たとえばオブザーブとしてすべてのメニューに同席し、グループディスカッションなどの様子をしっかりと観察すること。

そのような積み重ねによって、リアルな情報を手に入れることができます。

足りない情報は、受講者の上司へのヒアリングなどによって補うことも可能です。

ただし、それをするにしても一定レベルでの仮説は必要であり、あなたが自分で観察した情報をもとに、ヒアリング項目の土台を作成する必要があります。


多くの企業が、3年目までの若手社員を対象に毎年研修を実施しています。

その理由の大きなひとつに、人事部として、できるだけ多くの直接情報を入手するという目的があることは疑いようがありません。**受講者に関する正確な情報を得るうえで、実際に観察する以上にすぐれた方法はない**からです。

一人の担当者が継続的に観察できればベストですが、人事異動などでそれが難しくても、しっかりと記録を残すことで、鮮度を落とさずに引継ぎを実施することができます。

あなた自身が中期的な人材開発のプランを策定する場合には、ぜひともこうした視点を意識し、できるだけ多くの情報を入手できる機会を設けてください。**研修を実施した場合は、担当した講師からのフィードバックなども貴重な情報源になります。**私たちも、研修直後の印象が鮮明な時期に、ご担当者へ口頭で所見を伝えるようにしています。後日報告書を出す場合であっても、先入観が入る前に正確なところをお伝えするための工夫です。

■それでも「先入観」のトラップが潜んでいる

先ほど、研修講師からのフィードバックなども貴重な情報源になるとお伝えしました。

現実的には難しいことを承知のうえで申し上げるならば、**一人ひとりの受講生に対して、複数の目で観察することが望ましい**と考えています。

あなたと研修講師。これだけでも複数の目が入っていることになります。

そこに他の担当者も加わったならば、かなり正確なリアルが把握できるでしょう。

このようなお話をする背景には、私たちの誰もが持っている「先入観」の問題があります。**「アンコンシャス・バイアス」などという言葉が用いられたりもするように、あなたも私も無意識のうちに、情報のより好みをしている**のです。

無意識が行うことですから、意識的にコントロールすることはできません。

よくわからないけど青が好きで赤が嫌い。

今まで好きになった人はどういうわけか同じタイプばかり。

卵焼きやオムレツは大好きだけど、目玉焼きの黄身だけはどうやっても好きになれない。

こうした好みの理由を説明することはできませんが、説明のつかない好き嫌いは確実に存在します。それは人の好みについてもまったく当てはまっているのです。

たとえば、管理職の方々に向けたマネジメント研修などを実施する際に、無意識のうちに自分はどんなタイプを好んでいるのか、それを確かめる機会を設けています。

実際に行うのは簡単なゲームなのですが、結果はとてもクリアに出ます。

ゲームによってわかるのは、まずは自分がどのような価値観を大切にしているのか。

その結果をもとに、**自分の価値観に近い部下を必要以上に評価してはいないか。反対に、価値観の異なる部下に対して必要以上に厳しく接してはいないか。**そのような問いかけをしっかりと重ねていきます。

自分が大切にする価値観の背後には、「先入観」のトラップが潜んでいます。

私たちは大切にする価値観がなければ、そのために何かを成し遂げることができません。

その一方で、自分とは異なる価値観を無意識的に遠ざけ、「アンコンシャス・バイアス」を生じさせてしまうことにもなります。

このような「諸刃の剣」を抱えたまま、私たちは人と接しています。

それだけに、物事を正確に観察するというのは非常に難しい作業だといえるのです。

大切なのは、自分に「先入観」が存在するという事実を理解すること。

それを完全に克服することはできませんが、複数の意見を採用するという方法に加えて、あなた自身が意識すべきポイントを次のように示すことができます。

評価（好きか嫌いか）ではなく、事実だけに着目すること。

その事実をあなたがどう思ったのかはいったん保留にして、誰が何をしたか／いったか、一般に「行動事実」と呼ばれるものだけを、しっかりと記録に残していくこと。

それらの行動事実をどのように評価するかは、私たちとの「共同作業」の段階でも十分に間に合います。ですが、それらの事実が確認できず、あなたの感想だけがあった場合には、キャッチボールはほとんど成立しないといってまちがいありません。

「最初のボール」を投げられるのはあなただけだと、くり返しお伝えしてきました。**「最初のボール」とは、現在のリアルを反映した行動事実の積み重ねであり、それこそが明確なゴールの設定を可能にするものなのです。**

だからこそ、ゴールの設定は人材開発担当者であるあなたにしかできないのです。

コラム❸

ときには自分から情報を取りに行く

これは少し前の話になります。

取引先の人材開発担当の方が転職され、とあるサービス業を営む会社に人事課長として中途入社されることになりました。非常にお世話になった方だったので、キャリアアップをうれしく思う反面、もうお話しする機会はあまりないかも……と寂しくも思いました。

ですが、転職から半年ほどが経ったある日、その方からお電話があったのです。

「笹木さん、ちょっとお力を借りたいことがあるんですけど……」

私は慌ててアポイントを取り、その方に会いにいきました。

面談時にお聞きした話をまとめると、次のようになります。

サービス現場にこそ新卒文化は根づいているが、管理部門の大半が中途採用で入社した社員であるため、現場の状況をまったく把握しきれていない。また、責任者クラス（店長やその上位者）が若手社員に何を求めているのかも、ニュアンスもしくは雰囲気でしか言葉が続かないため、うまく理解できていない。その結果、適切な研修の実施はいうまでもなく、人事制度の構築や採用活動を行うのにも非常に苦戦している。

まさに、「引かれる数」も「引く数」もまったく不明の状態でした。


そこで私がお願いしたのは、新卒採用の内定者懇談会に参加させていただくことでした。

もちろん、ただただお酒を飲みたいからではありません（笑）。

懇談会に参加することでその会社が採用したい人材像を確認することができます。また、参加している内定者と会話することで、理想と現実のギャップも感じ取ることができます。

さらに懇談会に協力してくれる現場責任者（店長）や若手社員の人柄に触れ、現場の様子を聞くこともできます。

人事課長には、この提案を快くご承諾いただきました。

狙ったとおり多くの情報を得ることができ、そこから導き出したゴールと課題をもとに、会社と受講生の双方にとって価値のある研修を実施することができました。


（笹木）

第３章のまとめ

1 どのような人材に成長してほしいのかを明確化する

３つのゴールのちがいを理解し、短期的なゴール＝研修の「目標」をしっかりと定めていく。

2 ゴールが不明確なまま「丸投げ」した研修は失敗する

どんなに優秀な講師も「丸投げ」ではニーズを満たすことができない。双方の「共同作業」が必要不可欠である。

3 「足りないこと」／「やるべきこと」の2つの公式

「引き算」で「足りないこと」を導き、課題＝「やるべきこと」と 解決方法の「かけ算」で、取り組みの効果を最大化する。

4 ゴールを設定できるのは人材開発担当者だけである

実際に観察し、行動事実の記録を積み重ねていく。それが明確なゴールを設定する確実な方法である。

第4章

STEP②
育成方法をしっかりと検討する

本章でお伝えしたいこと

① 研修以外の育成方法について、それぞれの特徴を詳しく理解する。
② 適切な学習方法を見誤ると、学びの効果が大きく損なわれてしまう。
③ 階層によってゴールは異なり、同じ階層でも課題が異なればゴールも異なる。
④ ゴールを適切に見極め、そこからの逆算で最適な育成方法を定めていく。

01

人材が成長する方法は研修だけではない

■研修以外の選択肢その1　ＯＪＴ／Ｏｆｆ-ＪＴ

研修とは人材開発の取り組みの、重要ではあるがひとつの選択肢にすぎない。

このことをくり返しお伝えしてきました。研修には研修のメリット／デメリットがあり、他の選択肢にもそれぞれの長所と短所がある。

だからこそ「とりあえず研修……」は最悪の一手とされるわけです。

ここでは、研修以外に実施されることが多い４つの代表的な選択肢について、それぞれの特徴を詳しく見ていくことにします。

確認の意味も含めていうと、ＯＪＴとはOn the Job Trainingの頭文字を取ったもので、翻訳のとおり「仕事上での訓練」という意味になります。

ご存じの方も多いと思いますが、山本五十六の有名な言葉に次のようなものがあります。

やってみせ、言って聞かせて、させてみて
ほめてやらねば、人は動かじ

まずは先輩として自分が模範を示して、具体的なやり方や注意点などをアドバイスして、そのうえで本人にその仕事をさせてみる。うまくできた点はしっかりと評価し、課題なども同時にフィードバックすることで、さらなる改善につなげていく。

そうすることによって、後輩は確実に成長へのステップを踏むことができる。

この言葉にはまさに、ＯＪＴの本質が集約されているといえます。

ＯＪＴのメリットとしては、**実際の業務を通じて学びを深めることによって、早い段階で実践的な力を養うことができる**といった点が挙げられます。

さらに、**指導育成が社内で完結するため、コストの面でも少なく済みます。**

その分だけ、指導役を担う上司や先輩の時間的な負担が大きく、自分の仕事を抱えながら指導に時間を費やした結果、**組織全体の業務効率が悪くなってしまう**、などのデメリットが生じることも少なくありません。

競争環境の激しい現代では、特にこのデメリットが問題視されています。

そのようなデメリットを解消するために、Ｏｆｆ‐ＪＴが採用されます。

Ｏｆｆ‐ＪＴとはOff the Job Trainingの略語で、「業務を一時的に離れた教育／訓練」の意味になります。狭い意味では、研修など外部に依頼して行う人材開発の取り組みのことを指しますが、飲み会などの場で、先輩から後輩に伝えた想いが大きな育成効果を発揮する。そのような可能性をふまえて、学び以外の多くの接点をＯｆｆ‐ＪＴとして捉える企業も多く存在します。私たちも基本的には、言葉の広い意味でＯｆｆ‐ＪＴを捉えていますが、メリデメを考える際には外部への依頼を前提とします（内部の場合はＯＪＴと同じです）。

Ｏｆｆ‐ＪＴのメリットは、**何より指導する側の時間的な負担が少ない**点にあります。

さらに、**抽象的な概念やフレームワーク等を用いて、実践的な力の背景にある理論などを体系的に学ぶことができる**点も、大きなメリットのひとつといえます。誰もが活用できる。仕事の多くの場面で活用できる。そのようなスキルを学ぶのにも適しています。

その反面、**外部機関へのコスト負担が生じるという点はデメリット**といえます。

私たちがいうのも何ですが、研修会社に支払う費用は決して安いとはいえません。

もちろん、それを上回る付加価値を提供することが私たちの使命なのですが、それでも、コスト負担が気になって二の足を踏むお客様が多いことも事実です。

■研修以外の選択肢その2 e-learning／通信教育講座

ここからは、狭い意味でのOff-JT、特に研修以外の選択肢として実施されることの多い2つの取り組みについて見ていくことにします。

最初に取り上げるのはe-learningです。

汎用性の高い知識を誰もが等しく学べる点は、e-learningの最大のメリットといえます。教える側の資質に左右されることのない、均質な学びを実現することができます。

受講者にとっては、時間や場所を問わず学べる点が大きなメリットです。現在ではスマートフォンなどモバイル端末を用いた学びが普及しており、通勤時間等を活用してムダなく学習することが可能です。

会社側にとっては、**学習状況をリアルタイムかつ一元的に把握できる**点がメリットです。結果の集計やフィードバックなどもシステム上で完結するため、**人材開発担当者の労力が手作業に比べて大きく軽減される**ことになります。

他方、デメリットとして挙げられるのが、**教材作成やシステム構築などに大きなコストがかかる**という点です。コストを削減する目的で既成のフォーマットを利用すると、いわゆる「かゆいところに手が届かない」状態になってしまいます。

また、受講者にとっては**「いつでもどこでもできる」からこそいつまでたってもやらない**。モチベーションの維持が難しい点がデメリットといえます。さらに、インターネット環境が用意されていなければ学習できない点も、リスクとして指摘することができます。

加えて、どこまでいっても「画面上での知識の習得」といったレベルを超えないことから、実践的なスキルを身につけることはできません。抽象的な理論やフレームワークといった、本質的な学びにも適した手段とはいえません。

次に、通信教育講座について詳しく見ていくことにします。

ＩＴの発達により e-learning の活用機会が増えてきたとはいえ、今もなお60％を超える企業が通信教育講座を活用している、といったデータも存在します。

自らのキャリア形成に向けた自己啓発、資格取得に向けた知識の習得、といった目的から受講する方が多いとされており、あるいは、社内昇任試験の受験資格として、マネジメント関連講座の受講が義務づけられている場合もあります。

通信教育講座のメリットとしては、e-learning の一問一答形式とは異なり**記述式の問題が多いことから思考力が鍛えられる、具体的なケースをもとに考えることで実践的な知識が身につく、ひとつの分野を体系的に学べる**といった点が挙げられます。

紙媒体のテキストと答案用紙を活用することで、マーカーや書き込みによる重点の理解、添削された課題をもとにさらに学びを深める、といった効果も期待できます。

また、一定の条件を満たした場合に国から助成金を受け取れる講座もあり、企業と個人の双方に経済的なメリットが生じる場合もあります。

他方、学びの内容が本格的である分、受講者にとっては時間的・精神的負担が増します。**仕事が忙しいときには手につかない。ついつい後回しにしてしまう。**そんな声を非常に多く耳にします。e-learningとは異なるモチベーション維持の難しさがあるといえます。

あるいは、企業と受講者の双方にとって、学習の効果が見えにくいといったデメリットも指摘することができます。**どのようなスキルがどれだけ身についたのか、本人も会社側も、リアルに実感することが難しい。**会社の管理コストも無視することはできません。

これらのメリット／デメリットを正確に理解し、受講者の現在の課題にとってもっとも適した方法を定めていくことが、あなたの大切な役割なのだといえます。

02 e-learningでもできたことを研修化して失敗した例

■あるお客様が抱えたご不満の正体

「御社の管理職研修について教えてください」

ある日、そんな電話が私たちのところに入りました。

はじめて接する方にまちがいはないのですが、声のトーンがやや怒り気味です。

「大変失礼ですが、今まで弊社のセミナーなどにご参加されたことはございますか？」

「いえ、連絡させていただくのは今回がはじめてです」

丁寧にご対応いただいてはいるのですが、緊張感が消えることはありません。

「私どもでは管理職研修にもいくつかのプログラムをご用意しておりますが、どのような研修をご希望ですか？　ざっくりとでもいいので、教えていただけると助かります」

「他の会社に頼んだ研修が、まったくダメだったんです」

「なるほど。ちなみにそれはいつのことですか？」

「研修を実施したのは半年前で、今は来年度の研修についての話をしています」

相手の声の緊張感が、さっきよりも少しだけ強くなったように感じました。

そこで私たちは次のように提案しました。

「少し込み入った話になるかもしれませんので、よろしければ御社を訪問させていただき、差し支えない範囲で資料なども確認させていただきながらお話ししたいと考えるのですが、いかがでしょうか？もちろん、お断りいただくのは全然かまいませんので」

「わかりました。それでは……」と2日後に訪問することに決まりました。

他社の研修に不満を抱き、切り替えを模索しながらいただく電話も少なからずあります。それなりに事情が込み入っている場合が多いので、電話で話を進めることは避けています。相手の顔を見て話さなければ、真意がうまく見えてこないからです。

会議室に現れたのは、課長補佐クラスのご担当者でした。

「早速ですが、こちらが今年度の管理職研修の資料になります」

いただいた資料の内容から私たちが理解したのは、次のような問題でした。

このお客様が**研修のゴールとして設定していたのは、管理職としての業務遂行に必要な実践的な知識、特に労務管理に関する知識を身につける**ことでした。

労働基準法など関連する法律知識、裁判例などを含む各種ハラスメントの現状と留意点、さらにはコンプライアンスに必要な観点の理解といった、関連知識の習得に重きを置いたゴール設定がなされていました。

実際に使われたテキストも、必要な知識と最低限の解説が並んでいるものでした。

「ちなみに、失敗の内容をもう少し具体的に教えていただくことはできますか？」

「一番は、受講生からのアンケート結果が最悪だったということです」

「アンケートにはどんなことが書いてありました？」

「知識の解説だけであればわざわざ集まる必要がない、という声が多かったです」

「実際、講師は解説だけをしていたのでしょうか？」

「ずっと同席していたわけではありませんが、おそらくそうだったのだと思います」

「研修会社とは事前に打合せをされなかったんですか？」

「私の前任者に確認したところ、**オーダー通りにやるという返事があったので、それ以上**

は特に打合せをしていないとのことでした」

「ありがとうございます。非常によくわかりました」

■取り組みのゴールと手法とが一致していなかった

研修など人材開発の取り組みに対するニーズも実施後の評価も、受講者の肉声が実態をもっともよく表していると私たちは考えています。

知識の解説だけであればわざわざ集まる必要がない。

つまり、先の管理職研修の問題点は、この一文に集約されているということです。

社員教育の手法として研修以外の選択肢を思い浮かべることができない。そんな実情にぶつかることも決して少なくはありません。

テクノロジーの発展速度と私たちがそれらを吸収するスピードとは、決してイコールではありません。

だからこそ、今回のようなミスマッチが生じてしまいます。

知識の習得に重きを置く場合には、研修以外の選択肢の方が課題にマッチしています。

すべての管理職が労務関連の基本的な知識全般を均質に獲得する。そのようなゴールを設定する場合には e-learning がもっとも適した手法であるといえます。また、それぞれの問題意識にしたがって、さらに深い知識を身につけるために特定分野の学びを深めていく。そんなゴールのためには通信教育講座の受講が最適です。

今回のケースは明らかに前者に該当すると私たちは考えました。

「大変申し上げにくいのですが……」

そういうと、ご担当者の表情が一瞬こわばりました。

「何でしょうか？」

「あくまでも知識の習得を目標とする場合、という前提でのお話ですが、研修の実施よりもむしろ、e-learning などの方法を、私どもとしてはお勧めしております」

「もう少し詳しく教えていただけますか？」

「はい。釈迦に説法のような話で恐縮ですが、**研修とは講師と受講生がインタラクティブにつくり上げていくものだと考えています。日頃の問題意識をぶつけて、講師だけではなく、他の受講生からも多くの点で刺激を受ける。そこからの気づきがたくさんある。**だからこそ研修を実施する意義がある。そんな風に考えています」

「たしかに、一方的な講義ではそれは実現できませんね」

「おっしゃるとおりです。何を学ぶのかによって、どのように学ぶのかが代わってきます。そこにミスマッチがあると学びの効果が減ってしまいますので、内容だけでなく手法にも意識を向けるべきだと私たちは考えています」

「そんな風にいってくれた研修会社さんははじめてです」

「もちろん、研修をお引き受けしたい気持ちは山々なんです。ですが、うまくいかないのがわかっているのにお金だけもらうのはちがうと思っていますので」

「いや、実は私も何となくそんな気がしてたんですけど、うちの会社は体質も意識も古く、研修以外の選択肢なんてそもそも頭にない人が多いので……」

「ご苦労はお察しします」

「ちなみに、御社で e-learning をご用意いただくことは可能なんですか？」

「さすがにシステム開発までは対応できませんが、問題作成や解答の用意といった点ではお手伝いさせていただけると思います」

結局、このお客様は別途 e-learning の専門会社と出会うことができました。

後日ご担当者からお礼の電話をいただき、「機会を見つけてぜひ研修をお願いします」と温かい言葉をかけていただきました。
その日が訪れるのは、そう遠いことではないと予感しています。

03

階層や課題によってゴールは異なる

■それぞれの階層／課題に、それぞれのゴール

人の成長は段階を追って実現されるものであり、ごく稀なケースを除けば、何段階も先のゴールへ一足飛びに到達することはありません。

まさに成長とはマラソンのようなものであり、次の1㎞のラップだけを意識する。目標のペースをしっかりと刻むために、ただひたすらに足を前へと運んでいく。

そのくり返しによって、気づいたら折り返し地点が過ぎ、やがてゴールテープが目の前に開けてくる。もっとも、成長には終わりがないとの見方を支持するならば、本当のゴールは成長を諦めたときに訪れる。そんないい方もできるかもしれません。

いずれにせよ、42・195㎞をひとつの目標として設定するのではなく、1㎞、5㎞と

刻んだ目標を立てていくのが現実的です。

人材育成に関していうならば、新入社員、3年目、主任、課長補佐、課長、部長、経営者、ざっと挙げるだけでもこれだけの階層があります。**それぞれに期待される行動発揮があり、組織のなかでの役割がある。**

それらを実現できるようにすることが、個々の人材開発の取り組みのゴールなのです。

新入社員にとってのゴールは、3年目にとってはスタートラインです。

部長としてのゴールがしっかりと実現できなければ、経営層に加わることはできません。

ある階層のゴールが次の階層にとってはスタートラインとなっていること。このような循環を体系化したものが人材育成の計画であり、それぞれの階層におけるゴールを確実に達成するための仕掛けこそが人材開発戦略となります。

それらがしっかりと定まっていれば、個々のゴールは自然と明らかになります。

これもくり返しお伝えしてきたことなので、すでに腹落ちしているものと期待します。

今見てきたように、それぞれの階層によって求められるゴールは異なります。

ですが、同じ3年目だからといって、毎年同じ取り組みをしていればよいということには決してなりません。**階層という切り口が一緒だからといって、常に同じ研修をくり返すのはかなりの悪手**だと私たちは考えています。

去年の3年目と今年の3年目。能力も特徴もまったく同じということはありません。

同じ階層であっても、入社年度によって得意／不得意は異なります。つまり、それぞれに異なった課題を有しているということです。

コミュニケーションスキルに不安がある年。

あるいは、ロジカルシンキングのスキルに課題が認められる年。

このようなち**がいをしっかりと観察し、それぞれの課題にマッチした取り組みを検討し、最適な手法を取り入れ実践していくこと。そのような意識がなければ、適切なゴール設定は不可能**といってもいいでしょう。

もちろん、意識的に取り組んでいくのはあなたの役割です。

そのために、限られた機会をフル活用して、各階層の現状を十分に把握するのです。

私たちもまた、同じメニューを惰性でくり返すような提案は自らに厳しく禁じています。

管理職研修という同じタイトルであっても、今年はどのような課題認識を持っているのか、それに対してどのようなカリキュラムを組んでいくのか。お客様と必ず対話の時間を設け、お互いに納得するまで「共同作業」をくり返します。

そうすることでやっと、最適のゴールに近づくことができるのです。

■同じ名前の研修がちがった内容になることも

課題が大きく異なれば、カリキュラムもまた大きくちがってきます。**対話を重ねた結果、同じ「管理職研修」であっても、ほとんど別物の研修カリキュラムに仕上がってしまう。それも決して珍しいことではありません。**

管理職にフォーカスしていうならば、このところ、３年程度の中長期的な観点に立って、育成のカリキュラムを考えてほしいというオーダーをいただくケースが増えてきました。

そのような場合には、各年度のメニューは最初からかなり異なったものになります。

毎年の成長を織り込みながら、さらなるステップアップにつなげていく。

決して簡単なハードルではありませんが、「共同作業」を重ねてひとつのカリキュラムにまとめ上げたときには、何ともいえない喜びを感じることができます。

この仕事をしていてよかったと、心から思える瞬間です。

会社として管理職に期待する想いなど、揺らいではいけない部分も当然にあります。そのような大切なメッセージは残しながらも、その時々の課題にマッチした内容を考え、それをひとつの研修という形に組み上げていきます。

最初のボール＝その時々の課題を投げるのがあなた以外にないことは、何度もくり返しお伝えしてきたとおりです。それがあってはじめて、私たちも課題解決に向けてしっかりと動き出すことができます。

とはいえ、「共同作業」がすんなりとははじまらないケースも当然に存在します。

「ロジカルシンキングの研修をお願いしたいのですが」

そのようなボールを受けた私たちは、決まって次のように投げ返します。

「どのような課題を感じておられるのか、もう少し詳しく教えていただけますか？」

このボールに対して、とまどいを覚えるお客様がいます。

「ですから、論理的思考力を鍛えるための研修をお願いしたいんです」

「大変恐縮なのですが、たとえば論理的に考える力が不足しているのか、それとも、考えた内容を言葉にして論理的に説明する力が問題なのか。論理的思考力と一口に申しましても、いくつかのちがった課題が考えられるものですから……」

「御社にはロジカルシンキング研修の決まったテキストはないんですか？」

「基本的なフォーマットは用意しておりますが、個々の課題に応じてそれを……」

このあたりまでくると、かなり冷たい空気が受話器越しに伝わってきます。

だからといって、お客様を批判するつもりはまったくありません。**おそらくはこれまで、決まった研修パッケージを購入するという方法でしか、研修会社とコミュニケーションを図ってこなかったのだろう**と推測します。

私たちが考える「共同作業」を実現できなかったことは残念であり、せっかくのご照会に対して本当に申し訳なく感じています。

こうした苦い経験の積み重ねも、本書を執筆する大きなエネルギーになっています。

「わかりました」といってお金をもらうことは簡単ですが、それではお客様の時間とお金がかなりの部分ムダになってしまいます。

研修とはカスタマイズが可能であり、むしろそうすべきものである。

その時々の課題に応じて、ガラリと内容を変えることだってあり得る。

そのような確信を一人でも多くの人材開発担当者に持っていただきたいと願っています。最適なソリューションを提供することこそが、私たちにとっての大きな喜びなのです。

04 個々のゴールから逆算することで最適の育成方法が見つかる

■「小旅行」のプランを練るイメージ

あなたは世界一周旅行に出かけたいと思ったことがありますか?

私たちは、特別に旅行好きというわけではないのですが、仕事の関係上、長期間の休暇を取得することが難しいので、ときどき長期の旅行に出かける妄想に囚われます。

このような長旅を計画しようと考えたとき、どこから手をつければよいのかがわからず、途方に暮れてしまう場合がほとんどではないでしょうか。費用や期間、あるいは移動手段、それぞれに考えることが多すぎて、日々を現実的に生きている私たちにとっては、明らかに非現実的な夢物語と化してしまうわけです。

旅行に限らずですが、何かの大きなプランを立てようとするとき、すべての必要な事柄

がしっかりと把握できているというケースはむしろ珍しいといえます。

さらにいえば、プランの規模に比例して、不確定要素の数は増えていくのが普通です。それでも、1泊2日程度の小旅行であれば、できることも限られている分、不確定要素は非常に少なく、すぐに計画を立てることができます。

だからこそ、人材育成という大きな理念を、階層や中長期的な時間軸に分割することで、「大きなプラン」に伴う困難を減らしていくわけです。人材育成と人材開発との使い分けは、こうした角度からも理解することができます。

課題は分割して考えた方が、困難が少なくて済むということです。


とはいえ、1泊2日の旅行にもそれなりの選択肢は存在します。

どこに行くのか。どこに宿泊するのか。移動手段は何か。これらの問いに対する答えが、すべて一瞬のうちに出るというのはむしろ考えにくいというべきです。

そんなとき、あなたはどうやって個々の問いに対する答えを見つけていきますか？

私たちがお勧めするのは、とりあえずゴールを決めてしまうという作戦です。

たとえば、東京から1泊2日で行ける範囲の温泉に宿泊すると決めてしまう。それだけで候補地はかなり絞り込まれます。現実的なのは予算から考えるやり方で、そうすれば今度は宿泊先が絞り込まれます。そして目的地が決まれば、ルートや移動手段もすぐに決まる。

こうしてあなたの小旅行はたちまち具体性を帯びることになります。

このように、ゴールから逆算する思考法のことを「逆算思考」と呼びます。

あるいは、目的地さえ決まってしまえば、そこにたどり着くための方法を、自分で自由にプログラミングできるという観点から、「プログラミング思考」と呼ぶこともできます。

いずれにせよ、**大切なのはゴールから逆算するという姿勢です。**

たとえば研修を設計するとき、どんな方法が最適なのか迷ったりする場合もあります。

そのような場合には、対象となっている階層／解決すべき課題を先に明確化することで、必要な手段を絞り込むことができます。

人材開発の取り組みを検討するときに、現在の課題がすべてクリアにはなっていない。そんな状況も十分に想像することができます。だとしても、到達すべきゴールさえ明確に定めることができたなら、未来から現在の「引き算」が成り立つことになります。

あるいは、階層も課題も明確になっている。それでも、何が最適な方法なのか、自分では判断がつかない。そのような場合もあり得ることでしょう。

最終的には「共同作業」で解決するにしても、最初のボールは投げなければならない。

そのためにも、ゴールから逆算して絞り込む方法を持っていると強いのです。

■研修設計を超えたプランづくりにも生かしていく

現時点における人材育成の課題を考える。

それが人材開発担当者としての最初のステップであるとくり返しお伝えしてきました。

しかしながら、そのためのアプローチとして、現状の分析から切り込んでいくと、いつしか深い森をさまよう恐れが出てくるということをご理解いただきたいのです。

現在というものに対する評価は、現在のことだけを考えていたのでは決まりません。

大切なのは、これから進んでいくべき「未来との比較」という視点であり、それがまさに、くり返しお伝えしてきた「引き算」の大切さに他ならないわけです。

そのために、逆算思考／プログラミング思考をしっかりと活用すること。

階層ごと／課題ごとに求められるゴールをそれぞれに明確化し、そこからの逆算により

逆算思考

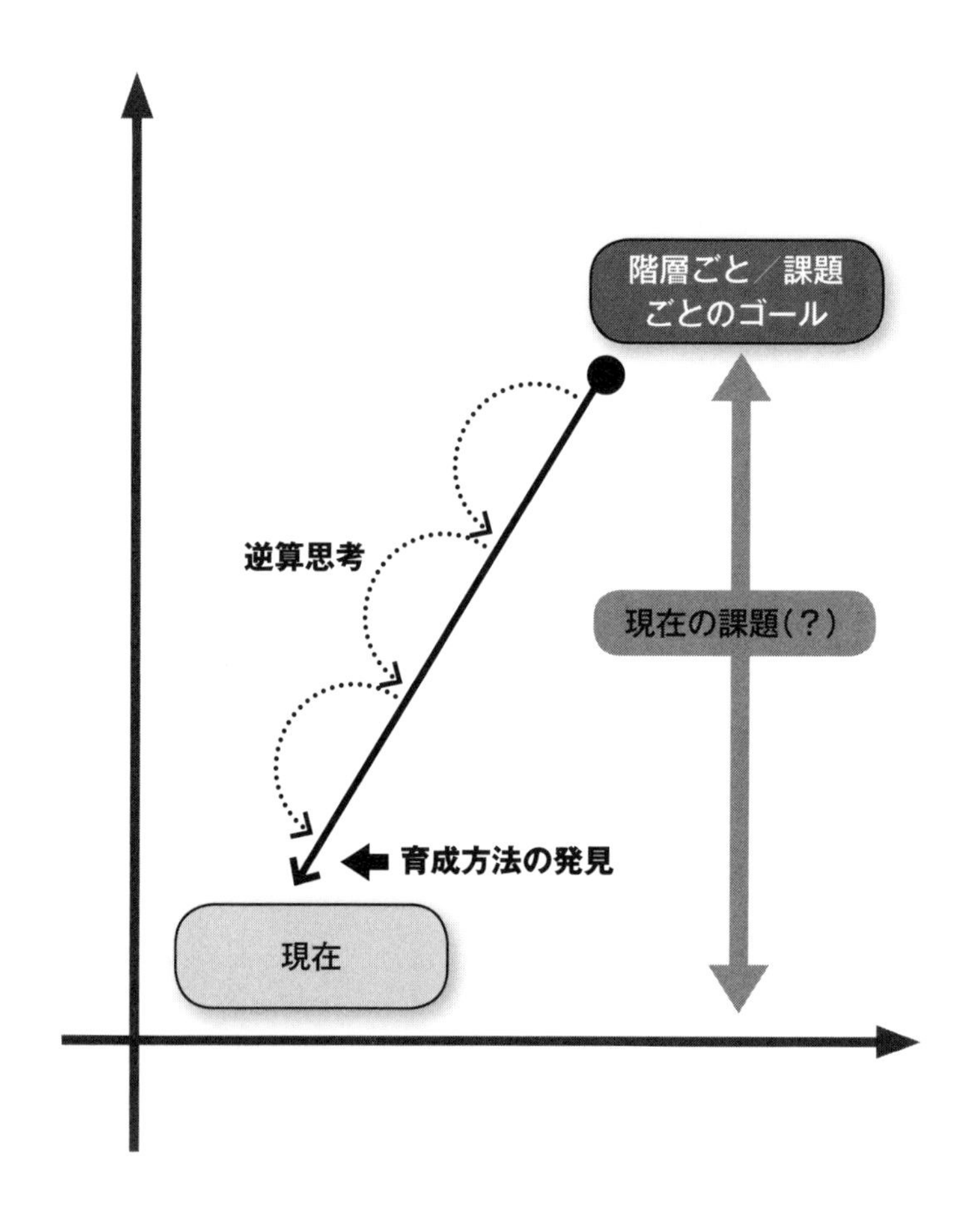

ゴールを設定してから逆算して、具体的な人材の育成手法を見つけていく

最適な取り組み＝育成の方法を見出していくこと。

前章で見た**公式２「やるべきこと×研修等の取り組み＝足りないこと」**を思い出すならば、「引き算」によって「足りないこと」を定めたうえで、その面積がしっかりと埋まるように、「やるべきこと」と「研修等の取り組み」のかけ算を考えていく。

それが逆算して考えることの意味だと理解することができます。

どれだけお腹がすいているかによって、用意するべき料理の量もちがってくる。こうして考えてみると当たり前のようにも思われますが、意識しなければ身につかない視点です。

人材開発担当者として、この点をぜひ心にとめておいてください。

このような視点を得たことによって、あなたには次の視界が開けてきます。

具体的なゴールが定まっていれば、その分だけ現在の課題も発見しやすくなる。

研修設計をはじめとして、それぞれの取り組み＝最適な育成方法を発見していくなかで、あなたはこうした貴重な気づきを得ることができました。

人材育成という長期展望には不確定要素も含まれていますが、中長期的な戦略としての人材開発の計画は具体的に策定することができます。あなたが得た気づきをベースとして、ぜひとも具体的な計画づくりに生かしていってください。

「でも、会社にはすでに人材開発の計画があるし……」

何となく、あなたのそんな声が聞こえてくる気がします。

ですが、ここで改めて思い起こしてください。研修の使い回しは、最悪ではないとしてもかなりの悪手であることを理解してきました。**そのような悪手が現実に取られる背景には、硬直化した人材開発の計画がある**と私たちは考えています。

同じ階層であっても、入社年度によって課題は大きく異なることを見てきました。いいかえれば、人材開発とは生き物であり、常に変化しながら、異なる姿を私たちの前に示してくれるのです。この変化にしっかりと対応できるかが、個々の取り組みの質を大きく左右することになります。

だからこそ、**個々の研修設計を通じて得た気づきを、中長期的な人材開発計画の見直し、そしてさらなるブラッシュアップへとつなげていく必要がある**のだといえます。

ゴールの大切さについては前章でも詳しくお伝えしてきましたが、育成方法をしっかり定めていくという観点からもまた、その重要性を強調しないわけにはいきません。すべてはやはり、どのような理想像を描くのかにかかっているのです。

昨今のビジネスシーンではPDCA（Plan→Do→Check→Actの4段階を繰り返して業務を継続的に改善していく方法）の重要性が当然のように語られます。

人材開発計画とはまさに、不断のPDCAを必要としており、担当者の日々の積み重ねがもっとも効果を発揮する場面であると理解することができます。

コラム❹

やはり、コストだけでは決められない

これもまた、とある会社でのお話です。

その会社では人材開発の取り組みもかなり活発に行われていたのですが、社長が代わりコストへの意識が強くなったことで、風向きに変化が生まれました。

それまでは毎年、新入社員研修に加えて、若手・中堅・管理職という括りで階層別研修を実施していたのですが、私たちへのオーダーが新入社員研修だけに減りました。もちろん、よくある話なのでどうということはないのですが（少しだけ強がっていますが）、それでも今後の反省につなげる必要はありますので、思い切ってご担当者へ電話をかけました。

「今後のために、差し支えない範囲で理由を教えていただけますか？」

「いや、秋葉さん、その件なんですけど……」

私たちはてっきり他社に切り替えたものとばかり思っていたのですが、事情はまったくちがっていました。階層別研修は実施されず、公開方式の他社交流型セミナーに参加させるやり方へと大きく転換していたのです。

「どうして他社交流型セミナーだったんですか？」

「テーマがマッチしているということでしたが、実際はコストです。それに、企画するのが面倒だというのもあったと思います」

「それで、効果の方はどうだったんですか？」

「秋葉さん、それは訊かないでくださいよ（笑）」

「いや、そこまでいったらもう全部話しましょうよ」

「参加者の業界も年齢も会社の規模等もまったくちがっていたので、交流と呼べるほどの関係にはまったくならなかったみたいです。セミナーのテーマも一般的な内容で、受講者の課題にはほとんど当てはまらないともいってました」

もちろん、他の受講生から刺激をもらうことができれば、他社交流型のセミナーも十分にメリットを発揮できると思います。ですが、そのためには受講生間でいくつか共通する点も必要になりますので、やはりコストだけでは決められないと思った次第です。


（秋葉）

第４章のまとめ

1

人材が成長する方法は研修だけではない

OJT／Off-JT、またe-learning／通信教育講座など、それぞれの特徴を理解し、効果の最大化を目指す。

2

e-learningでもできることは研修化しない

学びの内容によって最適な手法は異なる。それぞれに適した方法を見出し、学びの効果を最大化する。

3

階層や課題によってゴールは異なる

同じ階層であっても課題が異なればゴールはちがってくる。常に現状を把握し、最適な解決策を模索していく。

4

個々のゴールから逆算して最適な育成方法を見つける

逆算するためにもやはり、明確なゴールが重要になってくる。この気づきを計画のブラッシュアップへとつなげていく。

第5章

STEP③ 研修の実施方法をしっかりと見極める

本章でお伝えしたいこと

① リアル／オンライン、内製／外注、それぞれのメリデメを正しく理解する。

② ゴールと実施方法のミスマッチは研修の効果を大きく損なうことになる。

③「やるべきこと」をしっかりと見定めることで、最適な実施方法が見えてくる。

④ 受講生の目線に立って考えることで、最適な実施方法を選択できる。

01 リアル／オンライン、内製／外注、それぞれにメリデメがある

■メリデメの検討その1 リアル／オンライン

政府が進める「働き方改革」の影響がどこまであるかはわかりませんが、テクノロジーの進展とともにビジネスパーソンの働き方は多様化しています。

古い時代の記憶では「フレックスタイム」制度にはじまり、続いて「裁量労働制」の導入、そして、**コロナ禍が拍車をかける結果にはなりましたが、「リモートワーク」が当たり前に実施される環境が整ってきたこと。**

こうした変化は当然のように人材開発にも大きな影響を与えました。

いわゆる第一波によって、4月に実施される新入社員研修が大きな打撃を受けました。

多くの企業は研修を中止し、自習へと切り替えました。何とか実施にこぎつけた企業で

も、不慣れなオンライン研修によって学びの効果が大きく損なわれました。

このような多くの犠牲によって、さまざまな気づきが得られた点は唯一の救いです。

私たちも試行錯誤を重ねながら、本当にたくさんの気づきを得ることができました。


そのひとつとして、リアル／オンラインのメリデメを挙げることができます。

ここからの記述は研修を前提に進めていきますので、その点は予めご承知おきください。

研修といえばリアル以外にはないというのが私たちの業界の共通認識で、オンラインでの研修など想像することさえ難しい。それがコロナ禍以前の認識です。

たしかに、講師と受講生が、ワークやディスカッションなどさまざまな仕掛けを通じて、お互いの熱量をぶつけ合う。そのような環境は、リアルでなければ絶対に実現できません。

研修とは学びの場である以上に気づきの場であり、受講生にとって真に実りある気づきはひざ詰めであるがゆえの「臨場感」によってもたらされる。

大げさにいえば、「臨場感」＝研修くらいの認識を私たちはもっていましたし、**この点は今でも、リアルのメリットとして強調する必要がある**と考えています。

反面、**ひとつの場所に全員が集合する＝時間的・空間的制約という大きなデメリット**は、メリットを享受するための必要悪であると、ほとんど軽視されてきました。

こうした軽視に対する反省を、私たちは今、新たな気づきとして得ています。

たしかに、オンラインの研修では「臨場感」を再現することができません。

Ｚｏｏｍでいえば、ブレイクアウトルームを活用したワーク／ディスカッションなどを実施することはできますが、**メンバー同士が言葉を交わすことによって会場全体に広がる熱量までは、残念ながら体感することができません。**

さらに、コミュニケーション系の研修では当たり前のように実施されるロープレなども、オンラインでは大きな制約を受けることになります。

それでも、時間管理の厳しい昨今の労働環境において、**人材開発の取り組みが、かえって労働を強化してしまうなどといった事態は、本末転倒といわざるを得ません。だからこそ、オンラインのメリットにもしっかりと目を向けていく必要があるのです。**

具体的には、ワークやディスカッションなど体感系のメニューが少ない、相対的にみれば**知識付与型に近い研修では、オンラインのデメリットを極小化することができ、その結果、効果を損なうことなく、時間効率の高い学びを実現することができます。**

このように、研修の実施方法にも選択の幅が広がったことは、長期的な視野に立ったとき、会社と私たちの双方にとって、プラスの効果をもたらすものと認識しています。

■メリデメの検討その２ 内製／外注

オンラインでの研修が増えていくなかで、営業としての私たちは選択肢が増えることをポジティブに捉えていた反面、講師としての私たちは、自らの存在意義とは何なのかを深く見つめ直すことになりました。

研修において講師が存在することの意義は、ひとえに経験の伝達にあります。

教科書に書いてあるような知識ではなく、講師自身がこれまでの仕事人生のなかで悩み、苦しみ、そうして身につけてきた経験値をフィードバックする。オンラインに適した研修を知識付与型とするならば、**講師がリアルに伝える研修は経験付与型と呼ぶことができます。経験という強みこそが講師が必要とされる一番の理由であること**に、疑いはありません。

そうなると、知識付与型研修では、講師の存在意義が薄まるのではないか。

それが私たちの抱いた大きな疑問です。オンラインの研修が増えていくと仮定したとき、経験がもたらす熱量をそれほど必要としない非対面の学びの場に、講師としての私たちは本当に必要な存在なのだろうか。この疑問をきっかけに、内製/外注の場合分けについて、それまで以上に深く考えることになりました。

熱量や臨場感だけが問題なのであれば、社内講師でも圧倒的な熱量を伴って、これまでに克服してきた苦難のエピソードなど、多くの経験値を伝えることができます。

したがって、リアル/オンラインと内製/外注はダイレクトには結びつきません。

大切なのは、その経験が外部の風と一緒に持ち込まれること。

受講生の多くは、特に年代が若ければ若いほど、ひとつの会社だけしか経験しておらず、それゆえに今の会社の常識=ビジネスの常識という認識を持ってしまいがちです。

しかしながら、今の経験にどれだけの価値があるのかは、他との比較によってはじめて、正確に測ることができると考えています。他の会社にも同じような苦しみがある。他の人も自分と似た失敗を重ねている。

そのような苦しみや失敗の味を知っている講師だからこそ、たしかな言葉の力をもって、期待される意識や行動とは何かを示していくことができるのだと私たちは考えます。

さらにそこに、外部の目という客観性が加わってくるのです。

社外の人間だからこその客観性と説得力。社外の人間にしかできない指摘。

こうした要素が真に必要とされる場合には、外注がベストの選択肢であるといえます。

これに対して、社内の人間にしか出せない強みというものも確実に存在します。

社内ルールの理解度を上げる。自社の商品やサービス等に関する知識の強化。あるいは、これまで綿々と受け継がれてきた組織風土の継承。

これらが主な目的である研修に、私たちは十分に力を発揮することができません。

もちろん、基本はどのような方法やテーマであっても、私たちは、お客様以上にお客様の課題について考え、最適なソリューションを提供するべく取り組んでいます。そんな姿勢を評価していただき、研修をオーダーいただくことも少なくはありません。

それでも、同じ社内にいるからこその気づきがあります。

たとえば、「営業社員のコミュニケーションスキルを高める」という課題があったとして、なかには営業スタイルに強いこだわりを持つお客様もいらっしゃいます。

そのような場合には、私たちがお役に立てる可能性はかなり低くなってしまいます。

あえていえば、**「ＯＪＴの延長線上にある研修」という表現になるのかもしれませんが、そのような学びの場には、社内の講師が最適である**といってまちがいありません。

02 オンラインで無理を重ねたことで失敗した研修の例

混乱のなかでかかってきた一本の電話

「来月の新人研修の件なんですけど……」

「共同作業」を通じて懇意にさせていただいている担当者の方から電話が入りました。時期的に話の内容は想像できましたが、それでもひどく慌てている様子です。

「中止になったんですか？」

世の中ではコロナへの感染リスクを懸念して、入社式さえ中止にする会社も出ています。研修が議論の的となるのは容易に想像がつきます。

「いいえ、さすがに中止にはできないので……」

「オンラインに切り替えですか？」

「はい。人事部内には異論もあったのですが、経営からのトップダウンで……」

「世間の状況を考えると、やむを得ないですよね。そうなると、カリキュラムの見直しや、その前に、インフラ面では問題なさそうですか？」

「これまで経験がないので、正直なところ、不安の方が大きいです」

「新人のみなさんはどうやって参加される予定ですか？」

「**パソコンの配布も間に合わないので、個人のＰＣかタブレット、最悪はスマホからでも、仕方がないか**と話しているところです」

「カリキュラムの方はどうしましょうか？」

「そこなんですが、社内の承認を取ってしまっているので、このままで行こうと……」

その言葉を耳にしたとき、私たちの心の中にも汗が流れはじめました。

私たちはご担当者と意見交換を重ねるなかで、知識付与の要素をできるだけ少なくした、体感型の研修を設計するという結論に達していました。

挨拶、名刺交換などのビジネスマナー、電話応対のロールプレイング、会議室への案内、それらのメニューについて、講義の時間をできるだけ短くして、実際にやってみることで、体に覚え込ませたい。そんなご要望を最大限に反映することにしていました。

担当する講師とも方向性はすり合わせ済みであり、テキストもほぼ完成していました。

それを変えずに済むのは便利ですが、事前の想定がまったく異なります。

「たとえば、名刺交換なんかは、どうやってやるイメージですか？」

「そこは御社にもぜひお知恵を拝借したいところなのですが、パッと思いつくかぎりでは、画面の向こう側の相手に名刺を差し出す動きをしてもらうとか……」

「なるほど」

「率直にいって、どう思われますか？」

「できないことはないと思います。ですが、こちらもやったことがないので、正直なところイメージが具体的にわかない、というのが本音です。受講生同士でやり取りをするにしても、講師が全員の様子をちゃんと把握できるのか。その点も不安です」

「たしかに、おっしゃるとおりです……」

「体感型の研修の場合、実際にやってみることもそうなんですが、講師が目で見てしっかりフィードバックする。その点も非常に重要になってくるんです」

「無理をいって本当にすみません……」

「改めて確認ですが、カリキュラムを変えるという選択肢はない、ということですね？」

「はい。残念ながら……」

■時間が読めず、関係者全員のフラストレーションが高まる

これ以上の議論はご担当者を苦しめるだけだと判断し、カリキュラムは変えないという方向性を受け入れることに決めました。そうする以外に選択肢はありませんでした。

講師に連絡を取って経過を伝えると、受話器の向こうで絶句している様子がありありと浮かんできました。

「改めて確認ですが、今の話は本当でいいんですよね？」

「はい。残念ながら」

「正直、オンラインの新入社員研修自体、これまで経験がないんですけど……」

講師の不安はわかりますが、それは私たちにしたところで同じです。ここまで来たなら、できるだけポジティブな気持ちで事に臨む以外に方法はありません。

「私たちも考えてみますが、当日の運営について再検討をお願いします」

講師にはそのように再検討をお願いし、私たちは私たちなりに考えをめぐらせましたが、どこまでいっても雲をつかむような状況は変わらないまま、研修当日を迎えました。

講師のアイスブレイクが終わり、自己紹介を兼ねたグループづくりに移行します。各種ロールプレイングも含めて、今日の研修を同じグループで過ごしてもらうことから、最初のグループづくりの時間は非常に大切だと考えています。

しかし、この段階ですでに、不安が現実のものとなりました。

それぞれのグループにミーティングルームをアサインし、そこに移行してもらうことを考えていたのですが、**割り当てに時間がかかる、操作がわからない、移行する途中で接続が切れてしまう、そのようなトラブルが頻発しました。**

自己紹介を終えるまでにかなりの時間がかかり、仮にこのままのペースで進んでいくと、予定したメニューを時間内にすべて終えることは不可能です。

もちろん、リアルでも時間のコントロールはもっとも難しい課題のひとつなので、講師も柔軟に対応する経験は重ねています。ですが、ことオンラインとなるとはじめての経験で、いつもと同じ柔軟性を発揮できるという保証はどこにもありません。

伝える側は時間のプレッシャーに追われ、双方が慣れない操作に苦しみ、受講する側では接続不良が頻発し、時間だけがどんどん押していく。研修を運営する人事部のメンバーにも焦りの色が浮かび、関係する全員のフラストレーションが高まっていく。

これは新人研修に限らずですが、受講生に残業代を発生させるわけにはいきませんので、時間厳守は当然のこととされています。

やっとスムーズに流れるようになってきたのはお昼近く。

基本的な知識習得とオンライン操作の学びを深めた以外に効果は残らない研修でした。

もちろん、どちらに責任があるということではありません。

誰もが経験のないなかで、手探りで進めた結果ですので、やむを得ない部分もあります。

とはいえ、受講生にとっては生涯一度だけの新入社員研修です。

その機会を十分なものにできなかった点だけは、お詫びのしようもありません。

オンラインで無理を重ねると、より具体的にいえば、リアルと同じ臨場感を追求すると、それだけで失敗の確率が格段に高くなる。

この教訓を得たことだけは、ほとんど唯一の救いといえなくもありません。

これからの研修設計にそれをしっかりと活かし、せめてもの償いに変えていきます。

03

最適の実施方法は「やるべきこと」によって異なる

●リアル／オンラインに適した「やるべきこと」

これからお伝えすることは、ここまでお伝えしてきたことと重なる部分も多いのですが、同じ情報でも角度を変えて眺めることによって、さらに理解が深まる場合もあります。

理想の人材像から現在を「引き算」することによって見出した課題。

その課題＝「足りないこと」を解消するために必要な人材開発の個々の取り組み。

その重要なひとつが研修であり、**「足りないこと」を埋めるためには、「やるべきこと」と実施方法との「かけ算」の答えが、もっとも大きくなる組み合わせを見つける。**

それが人材開発担当者としての、あなたの重要な役割であると理解してきました。

とはいえ、「やるべきこと」と実施方法との「かけ算」という表現は、とても抽象的な＝

わかりにくい例えですので、少し内容をかみ砕いてお伝えすることによって、あなた自身の理解を深めていただきたいと思っています。

そのために、「やるべきこと」から最適な組み合わせを見ていくことにします。

研修のゴール＝「やるべきこと」に動きが多い場合には、リアルの研修が最適です。

ここでいう「動き」とは名刺交換を実際にやってみることであったり、部下との対話など実際のやり取りを想定し、ロールプレイングを実施することであったり、あるいは、一般にチームビルディングなどと呼ばれる、メンバーの相互理解を深めるための研修では、実際に体を動かすゲームを体験したりする場合もあります。

このような動きをオンラインで再現することは、ほとんど不可能であるといえます。

画面のこちら側でランダムに受講生を指名し、当てられた画面の向こう側の受講生には、他の受講生が見聞きしているなかで、すぐに講師との電話応対をはじめてもらう。それでも一定の緊張感は実現できたのですが、リアルと比較したときにはどうしても、物足りなさを感じてしまいます。

また、**受講者間でディスカッションを重ねることによって、自分とは異なる価値観に触れ、新たな気づきへと変えていく。**これは体験付与型の研修に大きく見られるパターンですが、**このような場合にもリアルでの実施が効果を発揮する**ことになります。

オンラインでも議論を重ねることはできますが、画面越しで熱量のすべてを伝えるのは決して簡単なことではありません。これは非常に重要なポイントだと考えています。

くり返しお伝えしてきたように、**動く場面がほとんどない知識付与型の研修の場合には、むしろオンラインでの実施が適している**といえます。

ロジカルシンキングのフレームワークを基礎から学ぶ。

時間管理やPDCAの効果的な実施方法をまずは知識として身につける。

このような研修の場合には、それぞれの受講生が画面の向こう側で自分の学びに集中し、移動時間などのロスも少ないという点で、オンラインのメリットが活かせます。

ただし、**その前提条件として、テキストの充実を挙げておく必要があります。**

リアルが研修の当たり前だった時代には、当日に使用するテキストには頼りすぎず、現場の雰囲気に合わせて講師のアドリブで補っていくというやり方が一般的でした。もちろん、体験付与型の研修の場合には、先入観を与えすぎないという意味で、その方が適しているといえます。

しかしながら、オンラインで行う知識付与型研修の場合には、テキストの内容を充実させ、臨場感の不足をしっかりと補っていく必要があります。**なお、この先には e-learning との見極めが問題となってきますので、その観点も忘れずにお願いします。**

● 内製／外注に適した「やるべきこと」

「とりあえず研修……」という発想は、今のあなたにはなくなっていると確信します。

その先に考えるべきなのが、仮に研修という学びの方法を採用するとしても、研修会社に外注するのか、それとも自社で内製化するのか、という問題です。

「やるべきこと」が自社に特化した内容である場合には、私たちは迷うことなく、内製化をお勧めしています。 すでに何度か取り上げてきましたが、自社製品やサービス内容の理解を今まで以上に深める。マニュアルやセールストークのスクリプトを徹底的にマスターする。あるいは、創業以来ずっと大切にしてきた経営理念を浸透させる。

学びのゴールがこのようなものである場合、外部の講師があなた方以上のリアリティを発揮し、同じ熱量のこもった機会を提供することは困難です。

知らないからこそ話せることと、知らなければ話せないこと。

私たちの役割は明らかに前者であって、後者を必要とする「やるべきこと」に対しては、それだけの想いを持った社内講師を起用するのがベストであるといえます。

とはいえ、自社に講師を担えるだけの人材が育っていない。

そんな悩みをあなたは抱えてしまうかもしれません。

ですが、その悩みに関しては、私たちが「共同作業」を行うことができます。研修で話すコンテンツ自体は考えていただくとしても、それをテキストの形に整理する。講義する際に留意すべきポイントを事前にお伝えする。つまり、**講師の方々に向けた事前研修を実施し、あなたの悩みを解消することができる**というわけです。

そのような対応が必要な場合には、ご遠慮なくお申しつけください。

少し面倒ない い方にはなりますが、**内製化に適している「やるべきこと」以外については、すべて研修会社へ外注するのがベターである**と考えています。

今もお伝えしたように、内製化には社内講師の育成が必要不可欠です。

社内でなければならない必然性を別とすれば、講師の育成にかかる時間と手間と比べて、外注する方がさまざまな意味で効率がよいということです。

とはいえ、**ここでいう効率とは、単純にコスパがよいという意味ではありません。**

請求する立場の人間がいうのもおかしな話ですが、すでに何度かお伝えしてきたように、研修を実施するためのコストは決して安価なものとはいえないからです。

コストをかけてでも実施するだけのメリットがあること。私たちが肝に銘じておくべき重要な点ではあるのですが、そのようなメリットを認めていただき、研修をご発注いただくお客様が多くいらっしゃいます。

外部の視点を持ち込むことによって、これまでの理解に足りない部分がわかる。

他者／他社の取り組みを知ることによって、今の自分の立ち位置が理解できる。

最初の方でもお伝えしたように、「社内の人間がいっても効果がないので、外部の厳しい目で見て、喝を入れてほしい」、そんなご依頼をいただくことも多くあります。

大手の会社では人材開発の関連会社をお持ちのケースも少なくありませんが、それでもあえて、私たちのような外部に研修を依頼する場合があります。

そこで期待されているのは、できるだけ客観的な目で受講生を観察すること。

ひとつの会社にいるだけでは身につかない広い視野の存在を示していくこと。

それらの理解が受講生にとっての新たな気づきとなり、ビジネスパーソンとしての力を

さらに高めていく結果につながる。
研修の外注には、このような高い視座からの課題認識も含まれているのです。

04 受講者の目線に立つことで最適の実施方法が見つかる

■受講者の目線から学びの内容を眺めてみる

ここまで、人材開発担当者であるあなたの視点に立って、さまざまな観点から研修開発のポイントを理解してきました。

もちろん、研修以外の学びの方法についても確認してきました。

しかしながら、研修をはじめとする人材開発の取り組みは、長期的には会社のためですが、**まちがっても人事部のためにあるものではなく、会社の未来を担う大切な受講生のために、それぞれのたしかな成長のために、存在しているの**だということができます。

このような視点に立ったとき、これまであなたと私たちとの「共同作業」に終始してきた論点に、受講者の目線が欠けていることに気がつくはずです。

すべてのビジネスが、商品やサービスを購入してくれる大切なお客様のために、たしかな価値をしっかりとお届けするためにあるのと同じく、**人材開発の取り組みもまた、すべての受講生に成長のための効果を届けることがゴール**となっています。

だからこそ、ここまで見てきた内容を、受講生の目線から改めて眺め直してみることに、一定の価値があるはずだと信じているわけです。

研修の内容を考えていく際に、ゴール＝「足りないこと」をしっかりと見定めることが、何より大切であるとお伝えしてきました。

ここで意識しなければならないことは、「足りないこと」を判断するのは誰なのかという問題です。

もちろん、研修を設計するのは人材開発担当者に与えられた重要な役割ですから、私たちとの「共同作業」を経て、ゴールを最終的に設定するのはあなたです。

しかしながら、「足りないこと」を定めていく際に、あなただけが「足りないこと」だと考えているのか（この場合、人事部の他のメンバーのことは置いておきます）。それとも、**あなただけでなく受講生もまた、「足りないこと」だと認識しているのか。**

重要なのは明らかに、後者の視点であるといってまちがいありません。

だからといって、すべての受講生にヒアリングをするなどの方法で、「足りないこと」を直接確認するというのは現実的ではありません。

あなたの判断はどうしても、間接的なものにならざるを得ないでしょう。

それでも、自分が受講生の立場だったとしたら、このカリキュラムをどう感じるか。

自分が「引き算」によって導かれた課題を抱えているとしたら、本当にこのような研修でそれが改善できると感じられるか。

受講者の目線を想像し、そこに自分の視点を重ね、そのうえで考え抜くこと。

そのような観点で思考を積み重ね、受講者の目線から眺めたときに、あなたが考えている学びの方法が本当に効果を示すかどうかが見えてくる。

少なくとも私たちは、そのように考えています。

考えるだけでなく、「共同作業」において、そのような積み重ねを実践しています。

あなたの目線が「上から目線」であるとは思っていません。

とはいえ、受講生の目線にしっかりと意識を向けることができなければ、あなたが必死で積み重ねてきた内容も、受講生にとっては「上から目線」に映ってしまうかもしれません。

そもそも「人事部が上で受講生が下」という設定自体に誤りがあるのですが、いずれにせよ、**受講生の目線を忘れた学びには、十分な効果を期待することなど決してできません。**

■ 受講者の目線から学びの熱量を想像してみる

学びの内容はもっとも大切にすべき点ですが、これまであなたと一緒に見てきたように、どのように学ぶかという視点も非常に重要であることはたしかです。

学びの方法は、学びの熱量とも深く関わっています。

特に、受講生がリアルな空間で他のメンバーと意見交換をしたり、切磋琢磨を重ねたり、そのような期待を強く抱いているときに、あっさりとオンラインの研修を設定してしまう。**そうすると単に臨場感が制限されるだけでなく、期待のレベルが大きく低下するといった弊害までもが生まれる**ことになります。

たしかに、多くの受講生は「人事部が設定したから」研修に参加するのかもしれません。したがって、そこまで大きな期待を持ってはいないのかもしれません。

それでも、せっかく時間を費やして学びに出向くのだから、**できるだけ多くのことを学**

び、他の受講生からも刺激を受けて、新たな気づきとともに職場に帰ってきたい。そんな想いで研修に臨む受講生もかなりの割合で存在しているはずです。

あえて厳しい言葉を用いるならば、そのような受講生の存在に気づいていないとしたら、人材開発担当者としては怠慢といわざるを得ないでしょう。

それとは逆に、人事部の熱量を受講生に対しても押しつけてしまう。

そのようなケースにも、これまでたくさん出会ってきました。とにかく全員で集合する。とにかく人事部長が大きな声でハッパをかけ続ける。とにかく人材開発担当者だけが熱い。その一方で、受講者の座るテーブルには冷たい空気が漂っている。

学びの目的も、最適な学習方法も、効果を最大化する実施方法も、すべてが曖昧なまま、熱量の共有だけを求められる研修に、大きな効果を期待できないのは当然です。

「だったら、そんな研修は引き受けなければよかったじゃないか？」

そんな疑問を抱かれるのも理解できます。私たちも「共同作業」の段階でわかっていたら決して引き受けることはなかったでしょう。

それでも、当日研修会場に行ってはじめて気づくこともたくさんあります。

もちろん、「聞いてた話とちがうじゃないか！」とは口が裂けてもいえません。

プロとしていったん引き受けた責任は、何があっても、最後までしっかりと果たします。

とはいえ、私たちも人間であって万能ではないので、できることには限界があります。

そして、受講生にプラスの価値を提供できない現実に、心が折れそうになります。

そのようなリスクを回避することが、あなたと私たちの大切な使命です。

学びの内容と実施方法、いいかえれば、**「やるべきこと」と研修等の「かけ算」によって、真に受講生のためになる「足りないこと」＝ゴールを定めることが、「共同作業」にとってもっとも大切なポイントである。**

このことをしっかりと実現するために、ここまで多くの角度から問題を眺めてきました。

たくさんある重要なポイントのなかでも、ゴールの設定こそが最大のカギだといえるでしょう。

これはビジネス全般に対しても当てはまることですが、ゴールが明確に定まっていれば、そこにたどり着くまでのルートは複数あっても問題ありません。目的地がわかっていれば、多少の遅れはあってもみんなそこにやってくることができます。

学びの方法の選択や、実施方法にアンマッチがあったとしても、ゴールが明確であれば、プラスが多少減ったとしても、学びの効果がゼロになることはありません。だからこそ、何よりもゴールを大切にし、研修を設計していきたいのです。

コラム❺

公開型の研修では他社との交流がポイント

研修の営業をしていると、一般企業以外の団体からも依頼を受けることがあります。

ある業界団体様から受けた相談に、「会員企業の社員に向けて、各社交流型の定期研修を団体主催で実施したい」というものがありました。研修会社へ支払う費用は加盟企業からの会員費と参加者から徴収する数千円の研修費を予定しているとのことでした。

よくあるケースではありますが、実はかなりハードルが高いケースです。参加費も安く、会社側も気軽な形で参加を促し、メンバーは半ば強制された気分で参加してくる。つまり、受講マインドは決して高くないだろうと想定されるからです。企画段階のニーズとしても、対象者は若手リーダー層、内容は「誰にでもわかりやすい研修」というフワッとしたもの。会社の規模もさまざまなはずで、詳しく掘り下げようとしたのですが、窓口である事務局の方々も多くの情報を持ってはおらず、あいまいな回答しか返ってきません。

しかも、実施方法としてはオンラインというオーダーで、さらに困難が予想されます。

そこで、オンラインの研修に慣れていない方も多くいることを前提に、たくさんの内容を詰め込むのではなく、じっくりと議論する時間をふんだんに用意したプログラムを設計し、提案をしたところ、無事に採用いただくことになりました。

研修当日、目にした受講者は予想以上に多くのタイプ（年齢層、役職、キャリアなど）に分かれていることがわかりました。共感しやすいケーススタディや今まで触れ合ってきたリーダーの特性分析などをグループワーク中心に進めていき、講義はあくまでも補足的なレベルにとどめました。最初こそ緊張感のある研修でしたが、時間の経過とともに緊張もほぐれ、受講者の方々もオンライン環境に慣れ、最後には時間が足りなくなるほど盛り上がり、とてもよい雰囲気で研修を終えることができました。

アンケートでも、非常にありがたいお言葉を多く頂戴することができました。

コラム❹で秋葉が書いたように、公開型の研修では他社との交流が重要なポイントです。そこが上手くいくことで、さまざまな経験を積んだメンバー同士が成功体験や失敗談等を共有し、講師からだけではなく双方向で刺激し合う環境を作ることができます。その結果、自社単独では得られない効果を得ることも可能になるわけです。


（笹木）

第5章のまとめ

1 リアル／オンライン、内製／外注、それぞれのメリデメ

それぞれのメリデメを正確に理解し、最適な実施方法を選択することが重要である。

2 オンラインで無理を重ねた研修は失敗する

研修ゴールと実施方法がうまくマッチしていなければ、学びの効果が大きく損なわれることになる。

3 最適な方法は「やるべきこと」によって異なる

だからこそ、「やるべきこと」が何なのかを十分に見定め、最適なマッチングを見つけていくことが重要である。

4 受講者の目線に立って最適な方法を見つける

学びの内容や期待する熱量を、受講者の目線で想定し、最適な学びの形を実現していくことが大切である。

第 6 章

STEP④ 研修会社とのパートナーシップを構築する

本章でお伝えしたいこと

① 研修会社との対等なコミュニケーションこそが研修を成功へと導く。

② 営業と講師のコミュニケーションが不足していると失敗のリスクが高まる。

③ 研修会社の規模や研修のコスト＝安さは安心の判断基準にはならない。

④ 同じ目線に立って「共同作業」してくれる研修会社が真のパートナーである。

01 対等なコミュニケーションが研修を成功に導くカギ

■研修とは一方的に「教える」場ではない

ここからは、研修を中心に、人材開発の取り組みを設計していくうえで重要となってくる、私たちのような研修会社とのコミュニケーションの問題を見ていくことにします。章のタイトルにもあるように、あなたと私たちとの関係は「パートナーシップ」によって結ばれています。このパートナーシップが成立するためには、対等なコミュニケーションを実践できる環境が必要とされます。

「教えを乞うのだから研修会社の言葉には従う必要がある」

「お金をもらうのだからお客様のオーダーは何でも受け入れる」

どちらも明らかに、対等なコミュニケーションとはいえません。

しかしながら、研修業界をめぐる現実は、もしかしたら今もこれに近いのかもしれません。もちろん、同業他社の状況をすべて把握しているわけではありませんが、お客様からはよく、「前者のスタンスで失敗した」という後悔の声を耳にします。

前者のような誤解からは、「それでお願いします」の声が生まれます。

そこに後者のスタンスが重なると、「わかりました」と何の疑問もなく受け入れます。

このような形で両者のスタンスが重なり合ったとき、研修の設計としてはまちがいなく、最悪とも呼べる環境が生じることになります。

当日フタを開けてみたときに、「なんじゃこりゃ？」と思うレベルです。

あなたには、こうした悲劇を何としても回避することが求められています。

そのためには、**研修とは講師が受講生に対して一方的に「教える」場ではない**との理解が必要になってきます。もちろん、研修は社員教育のひとつの手法であり、講師による知識のインプットなど「教える」要素は多分に含まれています。**それでも、研修を実施する最大の目的が、受講生に気づきを与え、それを明日からの行動変容へと結びつける「きっかけ」となること**にあったように、インプットとはあくまでも、アウトプットのための呼び水という意味合いしか持っていません。

どれだけインプットに重きを置いた研修であったとしても、それが受講生の行動変容につながらなければ、研修としては意味をなさなかったことになります。

別の見方をすれば、**講師とは「教える人（教師）」ではなく、自らのインプットをもとにたしかな「アウトプットを引き出す人」のことをいいます。**お客様のなかには、気を遣って、講師を「先生」と呼んでくださる方も多くいますが、本当にありがたいとは思いながらも、私たちとしては少なからず違和感を覚えているというのが率直なところです。


これは余談になりますが、言葉には人の意識を変える力があります。

講師を長いこと続けて「先生」と呼ばれ慣れてくると、なんだか自分が力を持っている、周囲から「先生」と呼ばれるにふさわしい人間である、そんな誤解が生まれてきます。

そうなることだけは絶対に避けたいと思っていますが、私たちがかつて単発的に研修をお願いした講師のなかにも、そんな雰囲気をにじませた方がいらっしゃいました。しかし、それが言葉の端々からこぼれてくるせいで、受講生からの反応は決して芳しくなかったと記憶しています。**受講生が求めているのは講師の「成功体験」ではなく、講師自身が失敗**

を重ね、そこから気づきを得て、現在へと至っているプロセスです。

同じ苦しみを味わった者としての共感こそが、説得力につながっていくのです。

■知識や経験の「格差」ではなく「ちがい」があるのみ

講師の多くは自身の失敗から学んで今があります。

私たちも今ではえらそうに人前で話していますが、ここに至るまでの社会人人生の歴史は、失敗と叱責と恥ずかしさと悔しさでほとんどが塗りつぶされています。しかし、その分だけ、同じような失敗に苦しむ方々の気持ちがよくわかります。どんなことを意識すれば現在の苦境から脱することができるのかについても、私たちなりの経験から語ることができます。それが絶対の答えであるとはまったく思っていません。多少なりとも課題の解決に向けたヒントになればと、ただそれだけを願っています。

受講生の方々と私たちに、知識の「格差」があるとはまったく思いません。

むしろ、私たちよりも多くの知識を身につけ、多くのことを経験し、より高いレベルでの悩みを抱えている。そのような場合の方が多いというのが実感です。

ただ、たまたま私たちが先に生まれ、先に失敗を重ねてきた。

少しだけ早く苦しいシチュエーションに追い込まれ、何とかそこからはい出してきた。

つまり、**受講生と私たちの間にあるのは、知識や経験を重ねた時期および状況についての、どちらかといえば細かな「ちがい」だけ**だということです。

だからこそ、研修会社や講師に対して引け目を感じる必要はまったくありません。

私たちがこれまでに経験してきたことは、あなたがこれから経験するはずのことであり、そこには時期や状況に「ちがい」以上のものはありません。私たちの基本的なスタンスは、まずは「伝える」こと。そのうえで「引き出す」こと。**伝えるべきは自身の気づきであり、引き出すべきは受講生の気づき（そして、その先にある行動変容）以外にありません。**

とはいえ、「何を」伝えるかはとても重要な問題です。

はじめからくり返しお伝えしてきたように、研修で「伝えること」＝課題の発見だけは、どれだけ頑張っても私たちにはできません。「最初のボール」を投げるのは、あなただけに与えられた大切な役割なのです。

いずれにせよ、そのような形でスタートするキャッチボールに、どちらが上とか下とか、そんな考え方が入り込む余地はどこにもありません。あなたが全力で最初のボールを投げ、私たちはそれをしっかり受け止め、そして全力で投げ返す。**そんな対等なキャッチボールを研修が終わるまで何度もくり返していくことが重要**なのです。

講師を悪い意味で「先生」と捉えてしまうことによって、最初に投げ込むボールの勢いが弱くなってしまうことを懸念しています。そして、返ってきたボールがストライクゾーンを外れていたときに、あなた自身を責めてしまわないかと心配に思っています。

あなたが必死で考え抜いて見つけた人材育成の現在の課題を、勢いが少し弱いとしても、**外れて返ってきたボールの責任は、ほとんどの場合、研修会社の側にあります。**

真正面から受け止めることなくおかしな返し方をしてきた場合には、遠慮なく「ちがう」と主張してください。相手が理解するまでくり返し伝えてください。

それでも理解しない場合には、対等なコミュニケーションが期待できない相手であると、思い切って判断してしまっても差し支えありません。

講師を「先生」と呼ぶかどうかは、あなたの判断にお任せします。

私たちは「秋葉さん」「笹木さん」と呼ばれた方がしっくりきますし、一番うれしいのは電話の際に「お世話になります」ではなく「お疲れ様です」といわれることです。

さらに真のパートナーに近づけたと感じることができるからです。

それも対等なコミュニケーションのあらわれだと、ひそかに感じていたりもします。

02 営業と講師のコミュニケーション不足で失敗した研修の例

■ 不信感からはじまった担当者との会話

そのときは、新人研修も一段落し、私たちにとっては閑散期とも呼べる時期でした。

午後のゆるやかな日差しのなかで、珍しくのんびりと過ごしていた時間を、一本の電話がシビアな雰囲気に変えてしまいました。

「すみません。研修のお願いではなく一般論としてお尋ねしたいのですが……」

声の雰囲気から察するに、電話の主は少なからずお怒りの様子です。

「はい。できる範囲のことは対応させていただきますが、どのようなご質問ですか?」

「御社も研修を実施するときは、自社のコンテンツをそのまま提供するのでしょうか?」

「ケースバイケース、というのが正確なお答えになろうかとは思いますが、実際のところ、基本のフォーマットをそのまま提供するケースも、あるいは簡単なカスタマイズを加えるセミオーダー的な場合も、完全にカスタマイズするケースも、すべてあります」

「研修業界全体では、どれが一般的なんですか？」

「他社様のご事情までは正直わかりかねますが、それでも、私どもが見聞きするかぎりでは、決まったコンテンツだけを提供する研修会社があることも知っています」

「割合としてはどちらが多いんですか？」

「これは感覚的な意見になりますが、お客様のご意見をふまえながら、基本フォーマットをカスタマイズするケースの方が多いと思います」

「本当にそうなんですか？」

このままでは堂々巡りになりそうだったので、思い切ってこちらから質問してみました。

「差し支えなければですが、このようなご質問をいただく背景等を教えていただくことはできますか？」

何となく想像はつきましたが、まさにそのとおりの答えが返ってきました。

ご担当者の話では、その日は上司の方に厳しく指摘を受け、その勢いのまま、とりあえず目についた私たちの会社へ電話をかけたとのことです。厳しい指摘を受けるに至ったのは直前に実施した新入社員研修の失敗で、受講生からのアンケートがほとんどネガティブな評価に終始しており、担当者としての判断を問われたというものでした。

「実際のところ、どんな研修だったんですか?」

「ひとことでいえば、〝THE昭和〟みたいな研修でした。上司や先輩のいうことにはしたがう。毎朝一番に出社してオフィスをきれいにする。あいさつは常に大きな声で。あとは形式的なマナーの解説と、敬語の使い方の特訓。それを全員で大きな声で唱和する、みたいな……」

「たしかに、多少なりとも真理は含んでいるのでしょうが、そんな伝え方をしてしまうと、今の若い人には響かないでしょうね」

「去年までの新入社員研修もウケが悪く、今年はじめてお願いした先だったんです。何でも、新入社員をはじめ若手の研修には定評があるとのことでしたので……」

「事前にテキスト等の確認はされなかったんですか?」

「もちろんしましたよ。それで、内容がさっきみたいな感じだったので、変更できないかと何度もお願いもしたんです。それでも……」

「変更はできないと？」

「講師はこの内容でやっていますので、今になって変えることはできないといわれました。最初からこれだとわかっていたら、そもそも契約しなかったんですけど……」

■「営業」と「講師」という役割のちがいを認識することが大事

実はこのエピソードには、もっと深い問題が含まれています。

ご担当者の言葉にもあったように、「最初から当日のコンテンツの詳細がわかっていたら、この研修会社とはそもそも契約しなかった」との発言には少なからず出会います。

それでも、実際には契約が結ばれ、研修当日を迎えることになったわけです。

研修もビジネスですから、**実施が近づいた段階でキャンセルした場合は、キャンセル料が発生します。そのうえで他の研修会社に切り替えれば、コストが上乗せになるだけでなく、そもそも空いている講師が見つからない、といった事態も起こり得ます。**

キャンセルとはそれだけリスクの高い判断なので、いったん契約してしまった場合には、途中で違和感を覚えたとしても、よほどのことがなければ、実施を目指すことになります。だからこそ、新規の取引にはことのほか慎重になるのですが、今回のエピソードのように、苦悩を抱えるご担当者はおそらく毎年のように生まれているはずです。

どうしてこのような事態が起こってしまうのでしょうか？

そこには多くの研修会社が抱える、内部のコミュニケーションの問題があります。私たちの会社は、基本は私たち自身が営業を行い、その一方で、講師としても登壇する。このスタイルで仕事を続けています。とはいっても体はひとつしかないので、研修の依頼が重複したときのために、本当に信頼できる外部の講師とも連携しています。

それでも、自分たちで設計の段階から参画し、実際に登壇する。このスタイルを私たちはとても大切にしています。その一番の理由は、お客様のご意向をもれなく当日の表現などに反映させられるという点です。**研修設計と当日の運営とのミスマッチが生じないためには、営業と講師が同じであることがもっとも確実だからです。**

しかしながら、多くの研修会社では、営業と講師の役割分担が明確になっています。自前の講師を抱えている大手研修会社、講師はすべて外部に委託している中小研修会社、**どちらの場合でも、講師が営業を兼ねることはまずありません。**

人材開発担当者と対面し、キャッチボールを行うのは営業の仕事です。

あなたと営業担当者の「共同作業」の結果を受けてカリキュラムが作成され、そのうえで当日のテキストが作られることになります。カリキュラムは講師が作成する場合が多いと理解していますが、なかには営業が作成するケースもあります。

いずれにせよ、ご担当者の「生の声」を耳にしていない状況に変わりはありませんので、**営業と講師のコミュニケーションが十分に図られなければ、人材開発担当者の想いからは大きくかけ離れたコンテンツが出来上がってしまう**おそれがあります。

その結果が、当日フタを開けたときの「なんじゃこりゃ？」になるわけです。

まさに今回のエピソードがこのパターンに当てはまっていました。**営業も講師も真剣に仕事と向き合っていますが、ミスマッチが生じるリスクは決してゼロにはならない**のです。

この点は、私たちも引き続き向き合っていかなければならない課題だと考えています。

こんな話をひと通りお伝えしたあと、電話の主がポツリといいました。

「でも、御社はお願いしたらテキストの内容を変更してくれるんですよね？」

「たしかに、それに応じない講師というのは、あまり歓迎すべきではありませんね」

不信感からはじまった一本の電話が縁を結び、私たちは半年後に予定される新入社員のフォローアップ研修を任せていただけることになりました。

そして、ご担当者とのご縁は今もなおありがたい形で続いています。

03 会社の規模やコストは安心の判断基準にならない

本当に欲しいものはどこで見つかるのか

自分でホームページを検索してみる。あるいは、研修会社から積極的に売り込んでくる。どちらの場合であっても、あなたは対等なコミュニケーションを実践できるパートナーを、何らかの基準によって選んでいかなければなりません。

実際にホームページを比べてみればわかることですが、私たちの会社を含めて、どこでも同じような言葉がきれいに並んでいます。

そこからひとつの会社だけを選び出すのは正直にいって不可能です。

だからこそ、会社としての規模やこれまでの実績、特に研修を提供した企業の規模など、どこかに信用の糸口を見つけて判断する場合がほとんどであるといえます。それ以外では、研修会社が開催する無料のセミナーに参加するといった方法もありますが、自社の課題がセミナーのテーマと合致している場合にしか機能しないというデメリットがあります。

もっとも、研修会社の雰囲気を直に感じ取ることはできますので、感覚的な部分で合う／合わないが判断できる点はメリットといえなくもありません。ただし、セミナーを担当した講師があなたの研修に必ず登壇する保証はありませんので、そこは注意が必要です。

研修会社を規模で判断することの問題について、詳しく見てみましょう。

あなたはあるファッション雑誌を眺めているときに、とても素敵な洋服に出会いました。ストライクゾーンど真ん中で、どうしてもワードローブに加えたいと思っています。ですが、それは某人気ブランドが宣伝用につくった非売品で、購入することは不可能です。しかし、どうしても諦められないあなたは、週末を待って大手百貨店へと飛び込んでいきました。

まったく同じものは買えないとしても、できるだけ似たものを見つけたい。

しかしながら、満足できるデザインはどこにも見つかりません。思いつく百貨店はすべて足を運びましたが、かろうじて「似ているかも」と呼べるものが1着見つかっただけです。あなたはその洋服を買おうかどうか迷っています。**大手百貨店のレベルでこの状況だから、今ここで買ってしまうのが次善の策にちがいない。**百貨店品質なので値段も張りましたが、あなたは思い切ってクレジットカードを差し出しました。

そして、家に帰って試着してから、少なからず後悔することになりました。

数日かけて気持ちを落ち着けたあなたは、次の週末、ファストファッションのブランドを中心に、コスパのよい商品を提供するお店を回ることに決めました。もちろん、そのようなブランドやショップにエッジの効いたデザインが見つかる確率は高くありません。

それでも、どうしてもあのお気に入りのデザインが頭から離れないのです。

デザインに多少不満があったとしても、値段が安ければ妥協できるだろう。

そんな気持ちで思いつく限りのショップを回ってみましたが、あなたの心を満足させるデザインには一枚も出会うことができませんでした。

気がつくと、「何となくこんな感じ」で選んだ洋服の入った袋がいくつも並んでいます。一枚の値段はどれも安いものでしたが、合計すると百貨店基準と同じくらいになりました。家に帰ってからすべて試着してみましたが、あのときの反省はどこへいってしまったのか。

心はいっそう暗くなってしまいました。

百貨店という規模も、ファストファッションが象徴するコストも、あなたの想いに応える安心の判断基準にはならなかったわけです。

ゴールとのマッチングだけを意識する

私たちの想いを伝えるには、「洋服」を「研修」に、「百貨店/ファストファッション」を「研修会社」に、それぞれ置き換えるだけで済みます。

大手の研修会社だからといって、あなたの課題にマッチした研修を必ず提供できるとはかぎりません。あるいは、コストだけに注目して選んでしまうと重心がちょっとだけ外れた研修を延々と受け続けることになります。いずれの場合も、直接的なデメリットを被るのは受講生の方々です。そして会社には、コスト面でのムダが生じてしまいます。

大事な点なのでくり返し強調しますが、**規模もコストも安心の判断基準にはなりません。**だからといって、私たちの会社を選んでくださいともいい切れません。もちろん、お仕事のオーダーをいただけるのは大変ありがたいことです。ですが、私たちがあらゆるオーダーに完璧に対応できるかといえば、それも明らかにちがっています。マッチングとはある意味でひとつのご縁であって、そこにはどうしても相性というものが介在します。端的にいえば、合う／合わない、好き／嫌いの世界が存在します。

だからこそ、**実際に「共同作業」を重ねてみなければ、対等なパートナーシップを築ける相手かどうかがわからない**わけです。

あなたと研修会社との間で「共同作業」が成立するためには、あなたから最初のボールを投げ込む必要がありました。その最初のボールをストライクゾーンへと投げ込むためには、正確な現状分析にもとづく課題＝研修のゴールが明確になっている必要があります。

適切なパートナー選びにおいても、大切なのはやはりゴールです。

ゴールにマッチしたコンテンツをはじめから持っている研修会社もあるかもしれません。ですが、その確率は決して高くはありません。ゴールに近い研修を選択し、そこからさらにカスタマイズを重ね、自社の課題にマッチした研修へと仕上げていく場合の方が、圧倒的に多いといってまちがいありません。

だからこそ、あなたにはゴールだけを意識することが必要なのです。

あなたの課題をしっかりと解決してくれる研修であれば、多少コストが増えたとしても、会社としてはそちらを選択するはずです。そして、そのような研修を提供できる研修会社が常に大手であるという可能性もまた、かぎりなく低いといって差し支えありません。

大手の研修会社には多くの知見のストックがあります。それをベースに、非常に質の高いコンテンツをいくつもそろえています。しかし、その分だけ、個別のお客様の独自の課題に応える柔軟性を欠いている場合が少なくありません。なかにはカスタマイズ料金をさらに上乗せする会社もあります。自分たちのやり方を変えるならお金をいただきますよという、お客様目線とは明らかに真逆の対応です。

また、値段が安い研修にも安いなりの理由があります。

私たちのビジネスはほとんど人件費だけで成り立っていますので、研修の値段の安さはそのまま人件費の低さにつながっています。研修会社の利益、もしくは講師に支払う報酬、そのどちらかまたは両方が、相場に比べて低いということです。もちろん、なかには非常にコスパの高い研修もありますが、それに出会う確率が低いのはご想像のとおりです。

ここまでお伝えしてきたことを端的にまとめると、**対等なパートナーである研修会社を選択するにあたって、信頼に足る基準はどこにもない**ということです。

それでは、どうやって研修会社を選んでいけばいいのか？

そんな疑問が浮かぶのも当たり前です。そして、その疑問に対する私たちなりの答えを、次項で一緒に確認していきたいと考えています。

04

会社の目線に立ってくれる研修会社が真のパートナー

■どんなに親切な対応でも「上から目線」はNG

少し前のことになりますが、店主が「上から目線」であるにもかかわらず行列ができる。そんな飲食店について書いた記事を読みました。もちろん、お店には客を選ぶ権利があり、特に悪質なクレーマーが問題となる昨今では、店側の権利も保証されるべきです。

また、自分たちがどんなお客様に来てほしいと望むのか。一般に「ペルソナ」と呼ばれる理想の顧客像を明確化することによって、自らが提供する価値の源泉に気づくことができ、それが売上の向上にもつながる。そのようなことが指摘されたりもします。

これらの点に、異論を差し挟むつもりはまったくありません。

自らが提供する商品やサービスに絶対的な価値があれば、または、自分たちに提供できる価値が明確になっているならば、たとえ「上から目線」に映る顧客対応であったとしても、マーケットには受け入れられる可能性も十分にあるといえます。

ですが、こと研修業界となると、この法則は絶対に当てはまらない確信があります。

もちろん、当てはまらないと確信するのにはいくつかの理由があります。

もっとも基本的なところとしては、いやしくも学びの場を提供しようとしている会社が、お客様を「選択する」というのは明らかに不適切な態度だと考えられる点です。この業界に「ペルソナ」という発想はなじまず、私たちはできるだけ多くのお客様にできるだけ多くの価値を提供したいと考えています。前半で見てきたとおり、**同じ会社であっても階層などがちがえば、課題もまた異なるものとなります。それらの異なる課題に幅広く対応することが私たちの使命であり、存在意義でもあるのです。**

自分たちに提供できる価値が明確であるということは、顧客をしっかりとセグメントし、「ペルソナ」だけにたしかな価値を提供するという発想を意味しています。

つまり、私たちがやろうとしているスタンスとは真逆の姿勢だということになります。

ほとんどの研修会社はこの点を十分理解しているはずですが、それでも得意／不得意や会社としての経営方針によってあえて顧客をセグメントしているケースも散見されます。特に、新入社員をはじめ、若手の育成を得意とする会社にこうした傾向が強いといえます。**適材適所を見誤ると、あなたの研修は失敗に終わる可能性が高くなります。**

それよりも重要な問題は、私たちの商品は基本的に、「完成形」ではないという点です。一部の研修会社のようにカスタマイズに難色を示す場合を別にすれば、研修会社の商品はいわば「半製品」の状態にあると考えるべきです。

くり返しお伝えしてきた「共同作業」によって、それを「完成品」へと変えていく。**あなたと重ねるキャッチボールによってはじめて研修は商品として完成することになり、私たちはそれを売りに出すことができます。**「半製品」の状態に絶対的な価値があるなどと考えるのは困難であり、私たちにできることといえば、それを完成させるための努力にだけは絶対的な自信があるということくらいです。

だからこそ、何があっても研修業界に「上から目線」はNGなのです。

本章では、対等なコミュニケーション、対等なパートナーシップという点を何より大切にお伝えしてきました。少なくとも私たちは、気持ちのうえではあなたの会社の社員であり、**仲間として課題解決を一緒に考えていきたいと思っています。外部であることを言い**

訳の材料にせず、むしろ客観性を武器にプラスの価値を生み出していくことが目標です。

■「共同作業」とは、共に悩み苦しむことでもある

真に「対等な」関係性とは、このような形でつくられていく。

それが私たちの確信であり、あなたに提供できる価値の源泉なのかもしれません。

私たちは、自分たちが完成品づくりに込める努力や想いには、同じ業界のどんな会社にも負けないという自信があります。今あるコンテンツがそのまま商品にはならないとしても、あなたと一緒につくり上げ、完成形へと仕上げていくまでのプロセスには常に全力を注ぎ、課題の解決がしっかりと図られるよう日々取り組んでいます。

とはいえ、うまくいくケースもあれば、そうではないケースもあります。

あるとき、何が研修の成否を分けるのかについて、深く考えてみたことがあるのですが、残念ながらハッキリとした答えをつかむまでには至りませんでした。それでも、いくつかの大切な気づきを得ることができました。その最たるものは、**課題の深掘りにはじまる一連のプロセスにおいて、どこか遠慮があったり、または、掘り下げのレベルが甘かったり**

して、煮え切らない部分を残していたのではないかという反省です。

この反省をさらに深く掘り下げていくと、次のようなことがいえます。

研修設計における「共同作業」には、そもそも大きな困難が伴っています。

あなたには、学びの手段に関する選択肢や、実施方法についてのバリエーションといった、広い意味での「方法」に関わる知見が不足しています。他方、私たちには、あなたの会社の現在の課題＝「引き算」における「引く数」が圧倒的にわかりません。日々の仕事の様子を観察するわけにもいかず、観察できたとしても業界に関する専門知識がないので、リアルな課題認識を持つことは難しいといわざるを得ません。

なお、業界に関する専門知識は研修の質にはあまり影響しません。研修でお伝えするのは、どの業界にも当てはまる抽象化された知見であって、知らなすぎもよくないですが、むしろ知りすぎていることで課題が見えにくくなるというデメリットもあります。

いずれにせよ、お互いがちがう武器を携えて「共同作業」を行っていくわけです。

極端ないい方をすれば、言語のフォーマットを統一するところからスタートするわけで、そのような作業が簡単であるはずがありません。

このような困難と向き合うにあたって、どこまで覚悟を持って臨むことができるか。

そこに何らかの「ゆるみ」が生まれたとき、失敗の確率が高まるように思います。

平たくいってしまうと、どこまで共に悩み苦しむことができたか。それがひとつの研修の成否を決めているのではないかと思っています。

もちろん、お客様に対して「共に悩み苦しむ」といってしまうことが少なからず不謹慎に響くおそれがあることは理解しています。それでも、ときには厳しく意見を闘わせながら、それでも受講生にプラスの価値を提供するという想いだけでしっかりと結びつき、共通のゴールを目指して進んでいく。

悩みでも苦しみでも議論でも何でもよいのですが、そうした「共同作業」をどこまでも深く、深く掘り下げていくことこそが、あなたと私たちが対等なパートナーであることの証であり、研修を成功へと導く秘訣なのだと思うのです。

あなたの悩みや苦しみに、とことんまで付き合ってくれる会社を探すこと。

厳しい意見交換にもポジティブなスタンスで臨んでくれる相手を見つけること。

一度や二度、ボールを投げただけでは、そのような相手には出会えないかもしれません。それでも、正式に契約する前の段階でも、とことんまでキャッチボールに付き合ってくれる会社は、あなたの大切なパートナーになる可能性を秘めているといえます。

コラム❻

講師は決して「偉い人」ではない

以前、経営者に向けた研修のオーダーを受けたことがあります。

私自身、経営者としての経験や実績等が乏しい時期でしたので、経営者として経験豊富な講師に研修をお願いしました。その講師は経歴が素晴らしく、経営者としても多くの経験を重ねてきた人でした。うまくいった会社もあれば、会社を潰してしまった経験もあります。本文でも取り上げたとおり、講師とは教える人（教師）ではなく、受講生よりも先に失敗を重ねた人であり、そこから得た気づきを共有する人が講師なのです。

今回の研修では、経歴からその方が適任だと感じました。打合せの際に、お客様の課題を理解するスピードも速く、私がヒアリングしてきたお客様からのご要望にも「わかりました、大丈夫です」との回答があり、安心して研修当日を迎えました。

ですが、当日研修がはじまると、私の安心感はすぐに消え去りました。

「私は●社の社長を経験してきた」「部下は最大●百人いた」「売り上げは●億円だった」、

そんな言葉がスタートと同時に飛び出し、強い違和感を覚えました。失敗談どころか自慢話と思しき話ばかりが続き、受講生の関心が削がれていくことを目の当たりにしました。

休憩時間に「もっと失敗事例を話してください」とお伝えしましたが、打合せ時と同様に「わかりました、大丈夫です」との回答があるだけ。結局最後まで、失敗事例はないまま研修が終了しました。当然、受講生からの評判も悪い研修となってしまいました。

研修終了後、なぜこのようなことが起こったのかを自分なりに深掘りした結果、ひとつの答えが見えてきました。私は経歴だけで素晴らしいと判断し、いわゆるハロー効果が生まれ、そのまま研修当日を迎えてしまったことが問題でした。

やはり講師は偉い人、すごい人ではない、経歴だけでは判断してはいけないと強く感じ、それ以降は経歴だけでなく、どんな経験を重ね、どんな思いで研修に臨んでいるのかなど、パートナーとして共同作業ができる人かどうかを見るようにしております。

企業のご担当者から「どの研修会社を選べばよいかわからない」とよくいわれます。私は会社規模や講師の経歴だけで選ばず、必ず講師とも面談して、パートナーとして信用できる相手か否かを見極めてくださいと伝えます。私の失敗談のひとつとして。


（秋葉）

第6章のまとめ

1　対等なコミュニケーションが研修を成功に導く

知識や経験に「格差」はなく、「ちがい」があるのみ。よって遠慮なく考えを伝えていくことが重要である。

2　営業と講師のコミュニケーション不足は失敗を招く

だからこそ、両者の役割のちがいを正確に理解したうえで、違和感の解消に努めていく必要がある。

3　会社の規模やコストは安心の判断基準にならない

会社の規模やコストで判断するのではなく、自社の課題とのマッチングレベルを最優先に判断していくことが大切。

4　会社の目線に立ってくれる研修会社が真のパートナー

困難を伴う「共同作業」に、とことんまで付き合ってくれる。それこそが真のパートナーの証である。

第7章

最適なパートナー選びのための4つの判断基準

本章でお伝えしたいこと

① 実際にとことんまで議論してみないと、最適なパートナーは見つからない。

② 相手の言葉／行動の「質」ではなく「量」によって、「自分事」と捉えているかを判断する。

③ 無理に「売り込む」ことなく、最適な方法を考えてくれる相手は信頼できる。

④ 理念に共感してくれる相手は、まちがいなくあなたの最適なパートナーである。

01 ゴールや実施方法についてとことんまで議論してくれる

■ 真剣にキャッチボールのできる相手を見つける

さて、本書もいよいよ最後の章を迎えました。

本章では、ここまでの学びをおさらいしながら、あなたが最適な研修会社＝パートナーを選んでいくうえで参考にしてほしい4つの判断基準をお伝えしていきます。

研修を適切に設計していくためには、何を置いてもゴールを明確に定めること。

会社が定める理想の人材像から現状を「引き算」して課題を見出し、それを克服するには何が必要か＝「やるべきこと」を考える。その答えが見つかったら、もっとも適した学びを決定し、それが研修である場合には、パートナーとの「共同作業」によってカスタマイズし、自社の課題に適した内容へとブラッシュアップしていく。

そのようにゴールから逆算していく手順が重要であることも学んできました。

ゴールとはいいかえれば、キャッチボールの「最初のボール」に他なりません。そして、それを投げられるのは、人材開発担当者としてのあなた以外にはいません。

そんなあなたにとっての最適なパートナーとは、あなたが投げ込むボールを常に全力で受け止め、しっかりと投げ返し、最後まで付き合ってくれる相手のことです。

ゴールが不明確だと思えば、それがクリアになるまでとことん議論してくれる。

「やるべきこと」にあいまいな部分があれば、それがなくなるまで一緒に考えてくれる。

無事に研修を終えるまで、あなたが抱えるすべての悩みや苦しみを分かち合い、さらには、これまでの知識や経験を総動員して最適なアドバイスを送ってくれる。

そんなパートナーと出会うことができたなら、人材開発担当者としてのあなたが抱える課題の大半は、すでに解決に近づいているともいえます。

とはいえ、それを見つけるのが難しいのもまた偽らざる事実です。

何度もお伝えしてきたように、ホームページやパンフレットからでは、個々の研修会社のちがいを見つけることはほとんど不可能であるといえます。だからこそ、**出会いのためには実際に接点を持つこと。実際にボールを投げ込むことが重要になってくる**のです。

●ボールを投げ込んだあとに考えるべきこと

あなたが「最初のボール」を投げ込んだあとに考えるべきことは、研修会社がどのような姿勢でキャッチ―ボールに臨んでいるのか、ということです。

あなたがゴールについての悩みをぶつけても、**暖簾に腕押しのような反応が返ってくる。**

「なるほど」「たしかに」、そんなうすいリアクションしか返ってこない場合には、あなたの悩みと真摯に向き合ってくれているのか、疑ってかかった方がよいかもしれません。

それより怖いのが、何をいってもポジティブすぎる反応が返ってくる場合です。

「わかりました！　それでは○○研修がもっとも適していると思います」

「そうかもしれませんが、△△という点も課題だと思っておりまして……」

「わかりました！　それでは□□研修の方がよいと思います！」

このようなやり取りをする相手は、**一見するとあなたのことを理解しているようですが、実際のところは、あなたの話にほとんど耳を傾けていません。**

あなたを対等なパートナーとしてリスペクトしているならば、あなたという人をもっと深く知りたいと考えるはずです。あなたの課題を深掘りし、現在の人材育成の課題について一緒に考え、わからないところは納得がいくまで質問し、とことんまで議論を尽くしたあと、やっとの思いで「わかりました」の一言がいえるはずなのです。

クライアントの意向にはすべて異論を差し挟むことなくしたがう。

そのようなビジネスモデルがあることを否定はしません。そして、そのようなスタンスがまちがっているとも思いません。双方の関係性によっては、それも十分にあり得る話です。提供される価値がそれで最大化するならば、むしろ歓迎すべきことかもしれません。

ですが、こと研修業界にかぎっては、このモデルは絶対に当てはまりません。

理由はくり返しお伝えしてきたとおりですが、**最適な研修の提供＝私たちが提供できる価値の最大化のためには、あなたとの「共同作業」が必要不可欠**だからです。だからこそ、**この意味をしっかりと理解している相手をパートナーに選ぶことが重要**なのです。

それが私たちであれば最高にうれしいですが、あなたはあなたにとっての最適な価値をしっかりと見出すこと。それだけを考えてください。

02 自分たち以上に自分たちのことを考えてくれる

■いくつもの研修でくり返しお伝えしていること

最近では、「他人事」の対義語として「自分事」という言葉がよく用いられます。
おそらく、伝統的な日本語の作法からすると正しくはない言葉なのでしょうが、それでも私たちの業界ではすっかり市民権を得ているといえます。

「組織の課題を自分事として捉える」

「部下や後輩の課題は決して他人事ではない。自分事なんだ」

フォロワーシップ研修やマネジメント研修などで、こうしたフレーズを多用しています。
上司の言葉が足りなかったり指示がわかりにくかったりしても、やるべきことは一緒です。
それを自分以外の誰かのせいにして、真摯に向き合うことから逃げていく。

そのような態度が組織をマイナスの方向へ導くのだと、一年間にどれだけ同じセリフをくり返しているのか。もちろん真剣に数えてみたことはありませんが、おそらくはかなりの数になるのではないかと考えています。

しかし、この言葉はむしろ、私たちにこそ向けられるべきです。

あなたが必死に考えたゴール＝人材育成の現在の課題を、あなた以上に「自分事」として受け止めることができているのか。

自分が人材開発担当者であるというマインドセットを、キャッチボールに臨むにあたってしっかりと行うことができているか。

「どうしてそこまで考えてくれるんですか？」

そんな言葉があなたから出てくるほどに、「私の課題」として掘り下げられているか。

あなたが「ＹＥＳ」と認めてくれるなら、私たちはあなたが抱える課題を、あなた以上に考えることができたと胸を張れるかもしれません。

そこではじめて、あなたのパートナーに立候補する資格を得たと自負することができるかもしれません。

その会社の理念に共感することができたとき、研修の熱量は確実に高まります。

あなたが「最初のボール」に込める熱量も大切ですが、私たちがそれを受け取る際にも、やはり心の熱量は問題になってくるということです。**これら2つがピタリと重なったとき、真の「共同作業」が成立する**といえるのではないでしょうか。

あなたの課題は相手の「自分事」ですか

だからこそ、あなたには相手の熱量をしっかりと測ってほしいのです。

相手がどこまであなたの課題を「自分事」として捉えているかは、あなたに対する質問の量などから推し量ることができます。あなたが考えているゴールをまずは共有するために、**できるだけ多くの情報をインプットし、会社の理念を含めた背景事情をしっかりと理解し、あなたという人間に関心を持ち、自分をできるだけ正確に同期させたい。**

そんな行動が認められる場合には、十分な「量」が確保されているといえます。

他方、先ほど見てきたように、何をいっても「わかりました！」が機械的に返ってくる。

そのような相手があなたという人間に本当に関心を持っているといえるかどうか。

もちろん、感じ方や判断は人によって異なるでしょう。

しかし、私たちは、「自分事」のレベル＝関心の「量」は、実際に現れる行動の「量」に基本的には比例していると考えています。耳にやさしい言葉はたくさんあっても、それらが本当に「質」の高い言葉だとはかぎりません。言葉の「質」を見抜くことは難しいとしても、言葉の「量」はしっかりと測ることができます。

だからこそ、「質」よりも「量」を重視してパートナーを選んでいきましょう。

たくさん質問してくる研修会社の営業担当者は何て物分かりの悪いヤツだと、あなたは感じるかもしれません。おそらく私たちは、多くの会社でそのように思われてきただろうと推測しています。ですが、その分だけ、多くのご担当者と、真に対等なパートナーシップを築くことができています。そのことを、とても大切に思っています。

これは余談になりますが、私たちは研修中もお客様を「御社」「○○様」と呼びます。

ところが、**つい熱が入ってくると、まるで自分の会社であるかのように「○○は……」と呼び捨てにしてしまうことがあります。** パートナーシップがしっかりと築かれている場合、このような「呼び捨て」はポジティブに受け止めていただくことができます。

あなたとの「共同作業」においてとことんまで議論を重ねていくなかで、あなたの会社を思わず呼び捨てにしてしまう。**そんな営業担当者はもしかしたら、あなたにとっての最適なパートナー候補かもしれません。**

03 研修以外の学びの方法についてもアドバイスしてくれる

■研修会社だから研修を売りたいとしても

私たちは研修会社ですから、研修を提供することでお金をいただいています。厳密にいえば、採用制度の設計など人事コンサルティングと呼ばれる領域の仕事なども請け負っていますが、ボリュームとしては圧倒的に研修が多い実態にあります。ちなみに、研修会社によっては、コンサルティングをメインにしながら、依頼を受ければ研修もやる。そんなスタイルをとっているところもあります。

何がいいたいかというと、たとえば、あなたから**研修設計のご相談をいただいたとして、最終的な私たちからのご提案が e-learning の実施であった場合、私たちはまったくお金を受け取ることがない**、という事実です。

スタンスは微妙にちがったとしても、この点はどの研修会社も同じだと思っています。まちがっても弁護士事務所のようなタイムチャージ制は導入していません。

利益を追求する事業会社がお金にならないことに時間を費やす。

それを経済合理性のない行為だと感じる方は多いかもしれません。

しかしながら、この業界に身を置いている人間のほとんどは、**人の成長に貢献することに喜びを感じ、金銭には代えがたい価値があると信じている**はずです。研修の相談を受けて、研修以外の学びついてもアドバイスし、別の選択肢の方が課題解決に適していると思えば、無理に研修を提案しない。ドライな経済合理性からは実に遠い部分で成り立っているのが研修業界だといっても差し支えありません。

このような、業界のポジティブな部分をしっかりと行動に落とし込んでいる相手。

それはあなたにとっての最適なパートナーになる可能性を秘めています。**とことんまで議論を尽くすからこそ課題＝ゴールが明確になる。それを「自分事」として考えるからこそ金銭以外の価値の存在に気がつく。だからこそ、研修以外の学びの方法を十分アドバイスし、最適な方法をともに考え、あなたの＝私たちの課題解決に向けて取り組んでいく**わけです。

今のあなたにそのような仲間がいれば、絶対に離さないことをお勧めします。

●「売り込まない営業」社員は信頼に足る

どんな業界や会社にも、それぞれのトップセールスと呼ばれる人がいます。

もちろん、すべてのトップセールスがそうだというわけではありませんが、新聞や雑誌の記事などを読むかぎり、多くのトップセールスには共通項があると感じます。

その共通項とは、「売り込まない営業」というスタイルです。

自社の製品がどんなに素晴らしいと自負していても、組織としての営業目標がどれだけ高く設定されていても、そのようなトップセールスは絶対に、ガツガツと売り込むことを、とにかく買ってもらうことを、よしとはしません。

彼ら／彼女らが日々継続しているのは、ただお客様の話に耳を傾けること。ときには雑談なども楽しみ、生活の現状をヒアリングし、今この時点の課題が何かを確認する。それらが自社の製品やサービスによって解決できる場合にかぎって、トップセールスは製品やサービスを紹介します。解決できない場合には、商品のパンフレットすら見せずに帰ってくるのが当たり前です。

ここで大切にされているのは、すべての製品やサービスにとって、その目的＝存在意義＝ゴールは自社の利益などではなく、顧客の課題解決以外にはない、という理念です。

私たちはこの理念に、心の底から共感しています。

どんなに内容の充実した（と自分たちでは思っている）研修を実施したところで、それが受講生の課題解決に少しでもつながらなければ、ただの自己満足以上の価値はありません。それがわかっているのに研修を「売り込む」ことは、明らかにこの理念に反しています。

だからこそ、私たちは研修を提案する前に、あなたの課題に耳を傾けるのです。

大切なのはあなたの課題であって、それを解決する手段が何なのかを最初に考え、それが私たちの提供する研修である場合にかぎって、プログラムの提案を検討するのです。

「売り込まない営業」担当者があなたの周りにいる場合には、その担当者を信頼することをまずはお勧めします。その担当者がとことん議論に付き合ってくれる人であり、さらには、「自分事」を言葉と行動の「量」で示してくれるならば、もはやそれは最適なパートナーと判断してもまちがいないように思います。

それが私たちではなかったとしても、私たちは心からそれを歓迎します。

04 人材育成の理念に心から共感してくれる

■理念に共感したとき、人の心はもっとも動く

あなたはどんなときに、仕事を頑張りたいという気持ちが強くなるでしょうか。

あなたはどんなときに、自分のアウトプットの質が高まっていると感じるでしょうか。

私たちの行動に、モチベーションが与える影響を無視することはできません。これまでの心理学の研究などによって、**私たち人間は、モチベーション高く仕事ができているときに、質の高いアウトプットを発揮できる**ことが知られています。

たとえば、大好きなアイドルのライブに行く日にはなぜか仕事の効率がアップするのも、同じ理屈で説明がつきます。また、マネジメント研修等の場で部下のモチベーションアップを話題にすることが多くあるのも、こうした学術的背景にもとづいているからです。

それほどまでにモチベーションの問題は重要で、それをいかに高い状態でキープするか、いかに仕事を頑張りたいと志を保つかが、人材開発の大きな課題にもなっています。

だからこそ、冒頭に記載した問いかけが、何より重要になってくるわけです。


出世、名誉、お金、承認欲求が満たされる。

個人が働く動機＝モチベーションの源泉にはさまざまなものがあります。

もちろん、ここに挙げたどれもが正解ですし、他にも多くの正解が存在することでしょう。極端ないい方をすれば、人の数だけ動機の源泉は存在するということもできます。

それでも、私たちには特別に大切にしたいものがあります。

それは理念に対する共感で、私たちがあなたの課題をもとに「共同作業」を進めるとき、会社が抱える人材育成の理念がどのようなものであるかを必ず確認することにしています。**そこにたしかな共感が生まれたとき、あなたとの間で理想のキャッチボールが成立します。**理念から導かれた課題をもとに、適切なゴールを設定することができます。そして、最適な学びの手段と実施方法を選択し、研修当日の熱量に変えていくことができます。

つまり、**人材育成の理念に共感できたとき、私たちの心はもっとも動くということです。**

その共感を糧として、最適な研修設計を目指していくことができるのです。

■ ビジネスとはどこまでいっても「人」である

テクノロジーの発展によって、私たちの働き方は大きく変化しました。

本書のなかでも、オンライン研修やe-learningといった新しい学びの選択肢をくり返し取り上げてきましたが、「研修＝リアル」という先入観にとらわれていた私たちにとって、テクノロジーがもたらすインパクトは非常に強いものでした。

政府が掲げる「働き方改革」は、Covid-19の蔓延によってはじめて拍車がかかるという、皮肉に満ちた状況に陥っています。それでも、大きな支障なくリモートワークへ移行できた背景には、それを支えるインフラの存在を見逃すことができません。ＡＩは私たちの仕事をさらに変革させ、これまでにない働き方を示してくれることでしょう。

それでも、ビジネスとはどこまでいっても「人」のものです。

ＡＩによって人間の活躍するフィールドが「変わる」。それには同意することができても、まったく「なくなる」という意見には反対です。**仕事とは他者への価値提供が目的で**

あり、提供すべき誰かがいなくなれば、それはもはや仕事ですらないというべきです。

だからこそ、私たちにとっては、仕事として「何を」するかよりも、その仕事を「誰と」一緒にするかの方が、はるかに重要な問題です。

おそらくそれは、あなたにとっても同じではないでしょうか。

こんなことがいえるのも、先ほど見てきたモチベーションとアウトプットの相関関係がはっきりしているからです。**最初から質の高いキャッチボールを求めるのではなく、一緒にキャッチボールがしたいと思える相手を見つけること。それができれば必然的に、理想的なキャッチボールへと近づくことができる。**私たちはそう考えています。

あなたが一緒にキャッチボールをしたいと思える相手。それは誰でしょうか。

多くのノウハウを持っている会社。何でもいうことを聞いてくれる会社。安い会社。

そのなかでも一番大切にすべきは、あなたの課題に、そのもとにある人材育成の理念に、心から共感してくれる会社ではないでしょうか。

ここまでお読みいただいたあなたなら、誰がその相手かを見極められるはずです。

自律した人材開発担当者として、最適な解を見つけてください。

コラム❼

さまざまな想いを俯瞰して捉える

前職で営業マネージャーをしているころ、部下に言い聞かせていたことがあります。

それは、「人の成長に関わる責任の重さを理解する」ということです。

人材育成／人材開発やコンサルティングを提供する会社は、外から見るだけだと非常に華やかなイメージが強く、憧れを持って入社してくるメンバーが多いのが実情です。多くの社員が「人が好き／人の成長に関わりたい／相手の課題解決をしたい」、そんな志望動機を携えて、この業界のドアをノックします。

ところが、いざ営業の仕事がはじまると、営業目標やKPIなどの「数字」を相手にする時間が長く、入社当初の熱い想いは次第に薄れ、アポを取ることや見積書を作成することが仕事の目的になってしまいます。

だからこそ、部下から進捗報告を受ける際には、「提案内容は会社の決裁者だけでなく、受講者のニーズにも合致しそうか？」という点を必ず確認していました。

私自身もかけ出しの頃は営業成績が振るわず、焦りが重なり、お客様の真のニーズよりも見積金額を優先しすぎ、結果的に失敗してしまったという苦い過去があります。研修会社や営業担当者にとっては、数ある研修のなかの1つでたまたま満足度が低かった。それだけで済ますこともできますが、受講する側からすれば、知識を学び、今後に向けた価値観などを形成する貴重な場面で、必要な学びが得られないことになります。特に新入社員の場合には、社会人としての第一歩が揺らぐことになり、マイナスの影響は非常に大きいといわざるを得ません。

研修を発注する経営層や人事部は、業績の向上という目的を持って研修を企画します。納品する研修講師は、自身の経験や知識を受講生に理解してもらうことが成長の大きなきっかけになると信じて研修を運営します。

このように、研修には多くの関係者のさまざまな想いが交錯しています。それを俯瞰して見ることのできる人材開発担当者と研修会社が、目的を見失わずよきパートナーシップを築いていけるのだと信じています。

（笹木）

第7章のまとめ

1 ゴールや実施方法についてとことんまで議論してくれる

あなたとの「共同作業」にとことんまで付き合ってくれる。そんな担当者はあなたの身の回りにいますか？

2 自分たち以上に自分たちのことを考えてくれる

あなたの課題を「自分事」として捉え、それを行動と言葉の「量」で示してくれる担当者は身近にいますか？

3 研修以外の学びの方法についてもアドバイスしてくれる

金銭ではなく人の成長に喜びを感じ、課題解決を何よりも優先してくれる担当者は身の回りにいますか？

4 人材育成の理念に心から共感してくれる

人は理念に共感したときに最高のアウトプットを発揮する。あなたの理念に共感してくれる担当者は身近にいますか？

おわりに

皆さま、本書を最後までお読みいただき、誠にありがとうございます。

多少なりとも何かが皆さまの心に残ったとすれば、これに勝る喜びはありません。

人材開発担当者として、多くの方の成長に寄与されることを心より祈念しております。

本書を出版していただいたスタンダーズ社の佐藤孔建社長、編集担当の河田周平さん、インプルーブ社の小山睦男さん、アレルド社の細谷知司さん、本当にありがとうございました。皆さまがいなければ本書が世に出ることはありませんでした。心から感謝いたします。


まず、秋葉から書きます。

私がこの業界に飛び込んだのが27歳の時。

実をいうと、営業と講師を両立しはじめた当初は非常に苦痛だったことを、今でも強く覚えております。その理由は、営業担当として新たなお客様を訪問し、研修設計を行い、最後に「ところで講師はどなたですか？」と聞かれるのが苦しかったからです。心の奥に恥ずかしさを抱えながら、「私でいいのか？」という不安を持ち、「講師は私です」という言葉をためらいながら口にしていました。

しかし、今は講師と営業という二足の草鞋を履いてきた経験がとても力になっており、講師の本質（偉いのではなく、先に経験したことを伝える人）を理解してからは、むしろお客様のことを本気で考えているのは私以外にはいないと思えるようになりました。

性格的には、周りから「相手のことを気にしすぎる」とよくいわれます。何をいうにも「相手がどう感じるか」を常に気にする傾向があるのですが、この性格は実際のところ、人材開発の仕事には非常に役立っていると感じています。

この性格のもとには、幼少期から女手一つで、自分のことよりも子供のことを優先して育ててくれた母親の影響が大きく、相手のために献身的に貢献する大切さを、身をもって教えてくれていたのだと、本当に感謝しております。

また、これまでの社会人生活のなかでご指導いただいた上司や先輩方、同僚や後輩達、そして、たくさんのお客様から多くのことを学ばせていただいたおかげで、本当に有益な経験を重ねることができたのは、私にとって本当に幸運だったと感じています。

そして何より、ここまで支えてくれた家族にも深い感謝の気持ちでいっぱいです。

この場をお借りして、深く御礼を申し上げます。

本書が1人でも多くの人材開発担当者のお役に立てたなら幸いです。

ここからは、笹木が書きます。

私がこの業界に身を置いたきっかけは、「人に何かを教える仕事がしたい」「人の成長に関わりたい」、そんなキラキラした理由からではなく、ある人とのご縁からでした。

正直に告白するならば、世の中に研修を生業にした会社があるなど社会人になるまではまったく知る由もなかったぐらいです。そんな私が、入社してかけ出しの頃は新規開拓の営業マンとして電話営業や飛び込み営業などを行い、もちろん、よい結果が出ない期間も長くありました。あと一歩でつぶれそうなとき、訪問先のあるご担当者様から「ここまで親身になって聞いてくれる笹木さんのところに研修をお願いしたい」といっていただき、涙が出るほど喜び、それがやりがいにつながったことを今も記憶しています。

その後、部下ができて、自分自身が部下の育成に苦しみ、部署の営業成績が伸びなくて押しつぶされそうになったときは、メンターの方から励ましの言葉を多く頂戴し、それで何とか乗り越えることができました。

会社を設立した際にも、周囲の方々から多くの応援を頂きました。

もちろん、今も従業員や家族、友人など多くの人たちに支えられています。

つまりは私自身が、多くの方々から愛情をいただき、育ててもらったということです。

本書を通して、人材育成に関わる多くのことをお伝えしてきましたが、核になる部分とはどこまでいっても「人」であり、どれだけ相手に興味や関心を持ち、愛情を注げるかが、人材育成の鍵を握っています。

人材開発担当者の皆さま、まずそのことをじっくり考えてみてください。

そして、研修を実施している最中も、実施後のフォローのときにも、その想いを忘れず持ち続けることが、人材開発担当者として最も大切な心得だと私は考えています。

改めて、皆さまのご活躍を心から祈念しています。

２０２１年９月　秋葉佳宏

笹木耕介

秋葉佳宏 （あきば よしひろ）

株式会社HRトリガー COO。
1979年千葉県千葉市生まれ。大学卒業後、上場企業2社で法人営業を経験し、高い成果を残す。2007年人事コンサルティング会社へ入社。歴代最高の営業成果を出し同社執行役員へ就任。組織マネジメントの傍ら、コンサルタントとして延べ2000社を超える企業の人材育成に携わる。常に相手目線に立った営業と研修講師を心掛け、研修のリピート率は93.1%。満足度も98%と非常に高い評価を得ている。2019年10月、株式会社HRトリガー設立。キャリアコンサルタント資格も生かしつつ、人材育成の専門家として活動中。

笹木耕介 （ささき こうすけ）

株式会社HRトリガー COO
2005年企業研修人事コンサルティング会社の設立に参画。法人営業の数々の記録を更新し、2013年に同社執行役員へ就任。研修講師としても上場企業をはじめ年間100回以上登壇、のべ1万人を超えるビジネスパーソンへ研修を行う。また採用の支援も得意とし、母集団形成、内定者のフォロー施策、面接官やリクルーターの養成、採用活動のオペレーション構築を行う。2019年10月株式会社HRトリガー設立。「相手が10年後でも思い出してくれる教育」を信念に全国各地で研修を行う。

[構成] 細谷知司
[書籍コーディネート] 小山睦男（インプルーブ）
[ブックデザイン] 植竹 裕（UeDESIGN）
[DTP・図版作成] 西村光賢

「強い人材」を育てるための
成功する研修設計入門

2021年10月31日　初版第1刷発行

著者　秋葉佳宏 笹木耕介
編集人　河田周平
発行人　佐藤孔建
印刷所　三松堂株式会社
発行　スタンダーズ・プレス株式会社
発売　スタンダーズ株式会社
〒160-0008
東京都新宿区四谷三栄町12-4 竹田ビル3F
https://www.standards.co.jp/
営業部　Tel.03-6380-6132　Fax.03-6380-6136